W9-AFL-221

THAÏS

CALMANN-LÉVY, ÉDITEURS

DU MÊME AUTEUR

Format grand in-18.

BALTHASAR . . . . 1 vol.
LES CONTES DE JACQUES TOURNEBROCHE. . . 1 —
CRAINQUEBILLE, PUTOIS, RIQUET . . . . 1 —
LE CRIME DE SYLVESTRE BONNARD *(Ouvrage couronné par l'Académie française)*. . . . . 1 —
LES DÉSIRS DE JEAN SERVIEN . . . . 1 —
LES DIEUX ONT SOIF . . . . 1 —
L'ÉTUI DE NACRE. . . . . 1 —
LE GÉNIE LATIN. . . . . 1 —
HISTOIRE COMIQUE . . . . 1 —
L'ILE DES PINGOUINS. . . . . 1 —
LE JARDIN D'ÉPICURE . . . . 1 —
JOCASTE ET LE CHAT MAIGRE. . . . . 1 —
LE LIVRE DE MON AMI . . . . 1 —
LE LYS ROUGE . . . . 1 —
LES OPINIONS DE M. JÉRÔME COIGNARD . . . 1 —
PAGES CHOISIES. . . . . 1 —
LE PETIT PIERRE . . . . 1 —
PIERRE NOZIÈRE . . . . 1 —
LE PUITS DE SAINTE-CLAIRE . . . . 1 —
RABELAIS . . . . 1 —
LA RÉVOLTE DES ANGES . . . . 1 —
LA RÔTISSERIE DE LA REINE PÉDAUQUE . . . 1 —
LES SEPT FEMMES DE LA BARBE-BLEUE. . . . 1 —
SUR LA PIERRE BLANCHE. . . . . 1 —
THAÏS . . . . 1 —
LA VIE EN FLEUR. . . . . 1 —
LA VIE LITTÉRAIRE. . . . . 4 —

HISTOIRE CONTEMPORAINE

I. — L'ORME DU MAIL. . . . . 1 vol.
II. — LE MANNEQUIN D'OSIER. . . . . 1 —
III. — L'ANNEAU D'AMÉTHYSTE. . . . . 1 —
IV. — MONSIEUR BERGERET A PARIS . . . . . 1 —

Format grand in-8o.

VIE DE JEANNE D'ARC . . . . 2 vol.

ANATOLE FRANCE
DE L'ACADÉMIE FRANÇAISE

THAÏS

NOUVELLE ÉDITION
REVUE ET CORRIGÉE PAR L'AUTEUR

PARIS
CALMANN-LÉVY, ÉDITEURS
3, RUE AUBER, 3

Imprimé en France

I

LE LOTUS

une étroite cellule, ne se réunissaient qu'afin de mieux goûter la solitude.

Anachorètes et cénobites vivaient dans l'abstinence, ne prenant de nourriture qu'après le coucher du soleil, mangeant pour tout repas leur pain avec un peu de sel et d'hysope. Quelques-uns, s'enfonçant dans les sables, faisaient leur asile d'une caverne ou d'un tombeau et menaient une vie encore plus singulière.

Tous gardaient la continence, portaient le cilice et la cuculle, dormaient sur la terre nue après de longues veilles, priaient, chantaient des psaumes, et pour tout dire, accomplissaient chaque jour les chefs-d'œuvre de la pénitence. En considération du péché originel, ils refusaient à leur corps, non seulement les plaisirs et les contentements, mais les soins mêmes qui passent pour indispensables selon les idées du siècle. Ils estimaient que les maladies de nos membres assainissent nos âmes et que la chair ne saurait recevoir de plus glorieuses parures que les ulcères et les plaies. Ainsi s'accomplissait la parole des prophètes qui avaient dit : « Le désert se couvrira de fleurs. »

Parmi les hôtes de cette sainte Thébaïde, les uns consumaient leurs jours dans l'ascétisme et la contemplation, les autres gagnaient leur subsistance en tressant les fibres des palmes, ou se louaient aux cultivateurs voisins pour le temps de la moisson. Les gentils en soupçonnaient faussement quelques-uns de vivre de brigandage et de se joindre aux Arabes nomades qui pillaient les caravanes. Mais à la vérité ces moines méprisaient les richesses et l'odeur de leurs vertus montait jusqu'au ciel.

Des anges semblables à de jeunes hommes venaient, un bâton à la main, comme des voyageurs, visiter les ermitages, tandis que des démons, ayant pris des figures d'Éthiopiens ou d'animaux, erraient autour des solitaires, afin de les induire en tentation. Quand les moines allaient, le matin, remplir leur cruche à la fontaine, ils voyaient des pas de Satyres et de Centaures imprimés dans le sable. Considérée sous son aspect véritable et spirituel, la Thébaïde était un champ de bataille où se livraient à toute heure, et spécialement la nuit, les merveilleux combats du ciel et de l'enfer.

Les ascètes, furieusement assaillis par des

légions de damnés, se défendaient avec l'aide de Dieu et des anges, au moyen du jeûne, de la pénitence et des macérations. Parfois, l'aiguillon des désirs charnels les déchirait si cruellement qu'ils en hurlaient de douleur et que leurs lamentations répondaient, sous le ciel plein d'étoiles, aux miaulements des hyènes affamées. C'est alors que les démons se présentaient à eux sous des formes ravissantes. Car si les démons sont laids en réalité, ils se revêtent parfois d'une beauté apparente qui empêche de discerner leur nature intime. Les ascètes de la Thébaïde virent avec épouvante, dans leur cellule, des images du plaisir inconnues même aux voluptueux du siècle. Mais, comme le signe de la croix était sur eux, ils ne succombaient pas à la tentation, et les esprits immondes, reprenant leur véritable figure, s'éloignaient dès l'aurore, pleins de honte et de rage. Il n'était pas rare, à l'aube, de rencontrer un de ceux-là s'enfuyant tout en larmes, et répondant à ceux qui l'interrogeaient : « Je pleure et je gémis, parce qu'un des chrétiens qui habitent ici m'a battu avec des verges et chassé ignominieusement. »

Les anciens du désert étendaient leur puissance sur les pécheurs et sur les impies. Leur bonté était parfois terrible. Ils tenaient des apôtres le pouvoir de punir les offenses faites au vrai Dieu, et rien ne pouvait sauver ceux qu'ils avaient condamnés. L'on contait avec épouvante dans les villes et jusque dans le peuple d'Alexandrie que la terre s'entr'ouvrait pour engloutir les méchants qu'ils frappaient de leur bâton. Aussi étaient-ils très redoutés des gens de mauvaise vie et particulièrement des mimes, des baladins, des prêtres mariés et des courtisanes.

Telle était la vertu de ces religieux, qu'elle soumettait à son pouvoir jusqu'aux bêtes féroces. Lorsqu'un solitaire était près de mourir, un lion lui venait creuser une fosse avec ses ongles. Le saint homme, connaissant par là que Dieu l'appelait à lui, s'en allait baiser la joue à tous ses frères. Puis il se couchait avec allégresse, pour s'endormir dans le Seigneur.

Or, depuis qu'Antoine, âgé de plus de cent ans, s'était retiré sur le mont Colzin avec ses disciples bien-aimés, Macaire et Amathas, il n'y avait pas dans toute la Thébaïde de moine plus abondant en œuvres que Paphnuce, abbé d'Antinoé. A vrai dire, Ephrem et Sérapion commandaient à un plus grand nombre de moines et excellaient dans la conduite spirituelle et temporelle de leurs monastères. Mais Paphnuce observait les jeûnes les plus rigoureux et demeurait parfois trois jours entiers sans prendre de nourriture. Il portait un cilice d'un poil très rude, se flagellait matin et soir et se tenait souvent prosterné le front contre terre.

Ses vingt-quatre disciples, ayant construit leurs cabanes proche la sienne, imitaient ses austérités. Il les aimait chèrement en Jésus-Christ et les exhortait sans cesse à la pénitence. Au nombre de ses fils spirituels se trouvaient des hommes qui, après s'être livrés au brigandage pendant de longues années, avaient été touchés par les exhortations du saint abbé au point d'embrasser l'état monastique. La pureté de leur vie édifiait leurs compagnons. On distinguait parmi eux l'ancien cuisinier d'une reine d'Abyssinie qui, converti semblablement par l'abbé d'Antinoé, ne cessait de répandre des larmes, et le diacre Flavien, qui avait la connaissance des écritures et parlait avec adresse. Mais le plus admirable des disciples de Paphnuce était un jeune paysan nommé Paul et surnommé le Simple, à cause de son extrême naïveté. Les hommes raillaient sa candeur, mais Dieu le favorisait en lui envoyant des visions et en lui accordant le don de prophétie.

Paphnuce sanctifiait ses heures par l'enseignement de ses disciples et les pratiques de l'ascétisme. Souvent aussi, il méditait sur les livres sacrés pour y trouver des allégories. C'est pourquoi, jeune encore d'âge, il abondait en mérites. Les diables qui livrent de si rudes assauts aux bons anachorètes n'osaient s'approcher de lui. La nuit, au clair de lune, sept petits chacals se tenaient devant sa cellule, assis sur leur derrière, immobiles, silencieux, dressant l'oreille. Et l'on croit que c'était sept démons qu'il retenait sur son seuil par la vertu de sa sainteté.

Paphnuce était né à Alexandrie de parents nobles, qui l'avaient fait instruire dans les lettres profanes. Il avait même été séduit par les mensonges des poètes, et tels étaient, en sa première jeunesse, l'erreur de son esprit et le dérèglement de sa pensée, qu'il croyait que la race humaine avait été noyée par les eaux du déluge au temps de Deucalion, et qu'il disputait avec ses condisciples sur la nature, les attributs et l'existence même de Dieu. Il vivait alors dans la dissipation, à la manière des gentils. Et c'est un temps qu'il ne se rappelait qu'avec honte et pour sa confusion.

— Durant ces jours, disait-il à ses frères, je bouillais dans la chaudière des fausses délices.

Il entendait par là qu'il mangeait des viandes habilement apprêtées et qu'il fréquentait les bains publics. En effet, il avait mené jusqu'à sa vingtième année cette vie du siècle, qu'il conviendrait mieux d'appeler mort que vie. Mais, ayant reçu les leçons du prêtre Macrin, il devint un homme nouveau.

La vérité le pénétra tout entier, et il avait coutume de dire qu'elle était entrée en lui comme une épée. Il embrassa la foi du Calvaire et il adora Jésus crucifié. Après son baptême, il resta un an encore parmi les gentils, dans le siècle où le retenaient les liens de l'habitude. Mais un jour, étant entré dans une église, il entendit le diacre qui lisait ce verset de l'Écriture : « Si tu veux être parfait, va et vends tout ce que tu as et donnes-en l'argent aux pauvres. » Aussitôt il vendit ses biens, en distribua le prix en aumônes et embrassa la vie monastique.

Depuis dix ans qu'il s'était retiré loin des hommes, il ne bouillait plus dans la chaudière des délices charnelles, mais il macérait profitablement dans les baumes de la pénitence.

Or, un jour que, rappelant, selon sa pieuse habitude, les heures qu'il avait vécues loin de Dieu, il examinait ses fautes une à une, pour en concevoir exactement la difformité, il lui souvint d'avoir vu jadis au théâtre d'Alexandrie une comédienne d'une grande beauté, nommée Thaïs. Cette femme se montrait dans les jeux et ne craignait pas de se livrer à des danses dont les mouvements, réglés avec trop d'habileté, rappelaient ceux des passions les plus horribles. Ou bien elle simulait quelqu'une de ces actions honteuses que les fables des païens prêtent à Vénus, à Léda ou à Pasiphaé. Elle embrasait ainsi tous les spectateurs du feu de la luxure ; et, quand de beaux jeunes hommes ou de riches vieillards venaient, pleins d'amour, suspendre des fleurs au seuil de sa maison, elle leur faisait accueil et se livrait à eux. En sorte qu'en perdant son âme, elle perdait un très grand nombre d'autres âmes.

Peu s'en était fallu qu'elle eût induit Paphnuce lui-même au péché de la chair. Elle avait allumé le désir dans ses veines et il s'était une fois approché de la maison de Thaïs. Mais il avait été arrêté au seuil de la courtisane par la timidité naturelle à l'extrême jeunesse (il avait alors quinze ans), et par la peur de se voir repoussé, faute d'argent, car ses parents veillaient à ce qu'il ne pût faire de grandes dépenses. Dieu, dans sa miséricorde, avait pris ces deux moyens pour le sauver d'un grand crime. Mais Paphnuce ne lui en avait eu d'abord aucune reconnaissance, parce qu'en ce temps-là il savait mal discerner ses propres intérêts et qu'il convoitait les faux biens. Donc, agenouillé dans sa cellule devant le simulacre de ce bois salutaire où fut suspendue, comme dans une balance, la rançon du monde, Paphnuce se prit à songer à Thaïs, parce que Thaïs était son péché, et il médita longtemps, selon les règles de l'ascétisme, sur la laideur épouvantable des délices charnelles, dont cette femme lui avait inspiré le goût, aux jours de trouble et d'ignorance. Après quelques heures de méditation, l'image de Thaïs lui apparut avec une extrême netteté. Il la revit telle qu'il l'avait vue lors de la tentation, belle selon la chair. Elle se montra d'abord comme une Léda, mollement couchée sur un lit d'hyacinthe, la tête renversée, les yeux humides et pleins d'éclairs, les narines frémissantes, la bouche entr'ouverte, la poitrine en fleur et les bras frais comme deux ruisseaux. A cette vue, Paphnuce se frappait la poitrine et disait :

— Je te prends à témoin, mon Dieu, que je considère la laideur de mon péché !

Cependant l'image changeait insensiblement d'expression. Les lèvres de Thaïs révélaient peu à peu, en s'abaissant aux deux coins de la bouche, une mystérieuse souffrance. Ses yeux agrandis étaient pleins de larmes et de lueurs ; de sa poitrine glonflée de soupirs, montait une haleine semblable aux premiers souffles de l'orage. A cette vue, Paphnuce se sentit troublé jusqu'au fond de l'âme. S'étant prosterné, il fit cette prière :

— Toi qui as mis la pitié dans nos cœurs comme la rosée du matin sur les prairies, Dieu juste et miséricordieux, sois béni ! Louange, louange à toi ! Écarte de ton serviteur cette fausse tendresse qui mène à la concupiscence et fais-moi la grâce de ne jamais aimer qu'en toi les créatures, car elles passent et tu demeures. Si je m'intéresse à cette femme, c'est parce qu'elle est ton ouvrage. Les anges eux-mêmes se penchent vers elle avec sollicitude. N'est-elle pas, ô Seigneur, le souffle de ta bouche ? Il ne faut pas qu'elle continue à pécher avec tant de citoyens et d'étrangers. Une grande pitié s'est élevée pour elle dans mon cœur. Ses crimes sont abominables et la seule pensée m'en donne un tel frisson que je sens se hérisser d'effroi tous les poils de ma chair. Mais plus elle est coupable et plus je dois la plaindre. Je pleure en songeant que les diables la tourmenteront durant l'éternité.

Comme il méditait de la sorte, il vit un petit chacal assis à ses pieds. Il en éprouva une grande surprise, car la porte de sa cellule était fermée depuis le matin. L'animal semblait lire dans la pensée de l'abbé et il remuait la queue comme un chien. Paphnuce se signa : la bête s'évanouit. Connaissant alors que pour la première fois le diable s'était glissé dans sa chambre, il fit une courte prière ; puis il songea de nouveau à Thaïs.

— Avec l'aide de Dieu, se dit-il, il faut que je la sauve !

Et il s'endormit.

Le lendemain matin, ayant fait sa prière, il se rendit auprès du saint homme Palémon, qui menait, à quelque distance, la vie anachorétique. Il le trouva qui, paisible et riant, bêchait la terre selon sa coutume. Palémon était un vieillard ; il cultivait un petit jardin : les bêtes sauvages venaient lui lécher les mains, et les diables ne le tourmentaient pas.

— Dieu soit loué ! mon frère Paphnuce, dit-il, appuyé sur sa bêche.

— Dieu soit loué ! répondit Paphnuce. Et que la paix soit avec mon frère !

— La paix soit semblablement avec toi ! frère Paphnuce, reprit le moine Palémon ; et il essuya avec sa manche la sueur de son front.

— Frère Palémon, nos discours doivent avoir pour unique objet la louange de Celui qui a promis de se trouver au milieu de ceux qui s'assemblent en son nom. C'est pourquoi je viens t'entretenir d'un dessein que j'ai formé en vue de glorifier le Seigneur.

— Puisse donc le Seigneur bénir ton dessein, Paphnuce, comme il a béni mes laitues! Il répand tous les matins sa grâce avec sa rosée sur mon jardin et sa bonté m'incite à le glorifier dans les concombres et les citrouilles qu'il me donne. Prions-le qu'il nous garde en sa paix! Car rien n'est plus à craindre que les mouvements désordonnés qui troublent les cœurs. Quand ces mouvements nous agitent, nous sommes semblables à des hommes ivres et nous marchons, tirés de droite et de gauche, sans cesse près de tomber ignominieusement. Parfois ces transports nous plongent dans une joie déréglée, et celui qui s'y abandonne fait retentir dans l'air souillé le rire épais des brutes. Cette joie lamentable entraîne le pécheur dans toutes sortes de désordres. Mais parfois aussi ces troubles de l'âme et des sens nous jettent dans une tristesse impie, plus funeste mille fois que la joie. Frère Paphnuce, je ne suis qu'un malheureux pécheur; mais j'ai éprouvé dans ma longue vie que le cénobite n'a pas de pire ennemi que la tristesse. J'entends par là cette mélancolie tenace qui enveloppe l'âme comme une brume et lui cache la lumière de Dieu. Rien n'est plus contraire au salut, et le plus grand triomphe du diable est de répandre une âcre et noire humeur dans le cœur d'un religieux. S'il ne nous envoyait que des tentations joyeuses, il ne serait pas de moitié si redoutable. Hélas! il excelle à nous désoler. N'a-t-il pas montré à notre père Antoine un enfant noir d'une telle beauté que sa vue tirait des larmes? Avec l'aide de Dieu, notre père Antoine évita les pièges du démon. Je l'ai connu du temps qu'il vivait parmi nous; il s'égayait avec ses disciples, et jamais il ne tomba dans la mélancolie. Mais n'es-tu pas venu, mon frère, m'entretenir d'un dessein formé dans ton esprit? Tu me favoriseras en m'en faisant part, si toutefois ce dessein a pour objet la gloire de Dieu.

— Frère Palémon, je me propose en effet de glorifier le Seigneur. Fortifie-moi de ton conseil, car tu as beaucoup de lumières et le péché n'a jamais obscurci la clarté de ton intelligence.

— Frère Paphnuce, je ne suis pas digne de délier la courroie de tes sandales et mes iniquités sont innombrables comme les sables du désert. Mais je suis vieux et je ne te refuserai pas l'aide de mon expérience.

— Je te confierai donc, frère Palémon, que je suis pénétré de douleur à la pensée qu'il y a dans Alexandrie une courtisane nommée Thaïs, qui vit dans le péché et demeure pour le peuple un objet de scandale.

— Frère Paphnuce, c'est là, en effet, une abomination dont il convient de s'affliger. Beaucoup de femmes vivent comme celle-là parmi les gentils. As-tu imaginé un remède applicable à ce grand mal?

— Frère Palémon, j'irai trouver cette femme dans Alexandrie, et, avec le secours de Dieu, je la convertirai. Tel est mon dessein; ne l'approuves-tu pas, mon frère?

— Frère Paphnuce, je ne suis qu'un malheureux pécheur, mais notre père Antoine avait coutume de dire : « En quelque lieu que tu sois, ne te hâte pas d'en sortir pour aller ailleurs. »

— Frère Palémon, découvres-tu quelque chose de mauvais dans l'entreprise que j'ai conçue ?

— Doux Paphnuce, Dieu me garde de soupçonner les intentions de mon frère ! Mais notre père Antoine disait encore : « Les poissons qui sont tirés en un lieu sec y trouvent la mort : pareillement il advient que les moines qui s'en vont hors de leurs cellules et se mêlent aux gens du siècle s'écartent des bons propos. »

Ayant ainsi parlé, le vieillard Palémon enfonça du pied dans la terre le tranchant de sa bêche et se mit à creuser le sol avec ardeur autour d'un jeune pommier. Tandis qu'il bêchait, une antilope ayant franchi d'un saut rapide, sans courber le feuillage, la haie qui fermait le jardin, s'arrêta, surprise, inquiète, le jarret frémissant, puis s'approcha en deux bonds du vieillard et coula sa fine tête dans le sein de son ami.

— Dieu soit loué dans la gazelle du désert ! dit Palémon.

Et il alla prendre dans sa cabane un morceau de pain noir qu'il fit manger dans le creux de sa main à la bête légère.

Paphnuce demeura quelque temps pensif, le regard fixé sur les pierres du chemin. Puis il regagna lentement sa cellule, songeant à ce qu'il venait d'entendre. Un grand travail se faisait dans son esprit.

— Ce solitaire, se disait-il, est de bon conseil; l'esprit de prudence est en lui. Et il doute de la sagesse de mon dessein. Pourtant il me serait cruel d'abandonner plus longtemps cette Thaïs au démon qui la possède. Que Dieu m'éclaire et me conduise!

Comme il poursuivait son chemin, il vit un pluvier pris dans les filets qu'un chasseur avait tendus sur le sable et il connut que c'était une femelle, car le mâle vint à voler jusqu'aux filets et il en rompait les mailles une à une avec son bec, jusqu'à ce qu'il fît dans les rets une ouverture par laquelle sa compagne pût s'échapper. L'homme de Dieu contemplait ce spectacle et, comme, par la vertu de sa sainteté, il comprenait aisément le sens mystique des choses, il connut que l'oiseau captif n'était autre que Thaïs, prise dans les lacs des abominations, et que, à l'exemple du pluvier, qui coupait les fils du chanvre avec son bec, il devait rompre, en prononçant des paroles puissantes, les invisibles liens par lesquels Thaïs était retenue dans le péché. C'est pourquoi il loua Dieu et fut raffermi dans sa résolution première. Mais, ayant vu ensuite le pluvier pris par les pattes et embarrassé lui-même au piège qu'il avait rompu, il retomba dans son incertitude.

Il ne dormit pas de toute la nuit et il eut avant l'aube une vision. Thaïs lui apparut encore. Son visage n'exprimait pas les voluptés coupables et elle n'était point vêtue, selon son habitude, de tissus diaphanes. Un suaire l'enveloppait tout entière et lui cachait même une partie du visage, en sorte que l'abbé ne voyait que deux yeux qui répandaient des larmes blanches et lourdes.

A cette vue, il se mit lui-même à pleurer et, pensant que cette vision lui venait de Dieu, il n'hésita plus. Il se leva, saisit un bâton noueux, image de la foi chrétienne, sortit de sa cellule, dont il ferma soigneusement la porte afin que les animaux qui vivent sur le sable et les oiseaux de l'air ne pussent venir souiller le livre des Écritures qu'il conservait au chevet de son lit, appela le diacre Flavien pour lui confier le gouvernement des vingt-trois disciples; puis, vêtu seulement d'un long cilice, prit sa route vers le Nil, avec le dessein de suivre à pied la rive Lybique jusqu'à la ville fondée par le Macédonien. Il marchait depuis l'aube sur le sable, méprisant la fatigue, la faim, la soif; le soleil était déjà bas à l'horizon quand il vit le fleuve effrayant qui roulait ses eaux sanglantes entre des rochers d'or et de feu. Il longea la berge, demandant son pain aux portes des cabanes isolées, pour l'amour de Dieu, et recevant l'injure, les refus, les menaces avec allégresse. Il ne redoutait ni les brigands, ni les bêtes fauves, mais il prenait grand soin de se détourner des villes et des villages qui se trouvaient sur sa route. Il craignait de rencontrer des enfants jouant aux osselets devant la maison de leur père, ou de voir, au bord des citernes, des femmes en chemise bleue poser leur cruche et sourire. Tout est péril au solitaire: c'est parfois un danger pour lui de lire dans l'Écriture que le divin maître allait de ville en ville et soupait avec ses disciples. Les vertus que les anachorètes brodent soigneusement sur le tissu de la foi sont aussi fragiles que magnifiques : un souffle du siècle peut en ternir les agréables couleurs. C'est pourquoi Paphnuce évitait d'entrer dans les villes, craignant que son cœur ne s'amollît à la vue des hommes.

Il s'en allait donc par les chemins solitaires. Quand venait le soir, le murmure des tamaris, caressés par la brise, lui donnait le frisson, et il rabattait son capuchon sur ses yeux pour ne plus voir la beauté des choses. Après six jours de marche, il parvint en un lieu nommé Silsilé. Le fleuve y coule dans une étroite vallée que borde une double chaîne de montagnes de granit. C'est là que les Égyptiens, au temps où ils adoraient les démons, taillaient leurs idoles. Paphnuce y vit une énorme tête de Sphinx, encore engagée dans la roche. Craignant qu'elle ne fût animée de quelque vertu diabolique, il fit le signe de la croix et prononça le nom de Jésus; aussitôt une chauve-souris s'échappa d'une des oreilles de la bête et Paphnuce connut qu'il avait chassé le mauvais esprit qui était en cette figure depuis plusieurs siècles. Son zèle s'en accrut et, ayant ramassé une grosse pierre, il la jeta à la face de l'idole. Alors le visage mystérieux du Sphinx exprima une si profonde tristesse, que Paphnuce en fut ému. En vérité, l'expression de douleur surhumaine dont cette face de pierre était empreinte aurait touché l'homme le plus insensible. C'est pourquoi Paphnuce dit au Sphinx :

— O bête, à l'exemple des satyres et des centaures que vit dans le désert notre père Antoine, confesse la divinité du Christ Jésus! et je te bénirai au nom du Père, du Fils et de l'Esprit.

Il dit : une lueur rose sortit des yeux du Sphinx; les lourdes paupières de la bête tressaillirent et les lèvres de granit articulèrent péniblement, comme un écho de la voix de l'homme, le saint nom de Jésus-Christ; c'est pourquoi Paphnuce, étendant la main droite, bénit le Sphinx de Silsilé.

Cela fait, il poursuivit son chemin et, la vallée s'étant élargie, il vit les ruines d'une ville immense. Les temples, restés debout, étaient portés par des idoles qui servaient de colonnes et, avec la permission de Dieu, des têtes de femmes aux cornes de vache attachaient sur Paphnuce un long regard qui le faisait pâlir. Il marcha ainsi dix-sept jours, mâchant pour toute nourriture quelques herbes crues et dormant la nuit dans les palais écroulés, parmi les chats sauvages et les rats de Pharaon, auxquels venaient se mêler des femmes dont le buste se terminait en poisson squameux. Mais Paphnuce savait que ces femmes venaient de l'enfer et il les chassait en faisant le signe de la croix.

Le dix-huitième jour, ayant découvert, loin de tout village, une misérable hutte de feuilles de palmier, à demi ensevelie sous le sable qu'apporte le vent du désert, il s'en approcha, avec l'espoir que cette cabane était habitée par quelque pieux anachorète. Comme il n'y avait point de porte, il aperçut à l'intérieur une cruche, un tas d'oignons et un lit de feuilles sèches.

— Voilà, se dit-il, le mobilier d'un ascète. Communément les ermites s'éloignent peu de leur cabane. Je ne manquerai pas de rencontrer bientôt celui-ci. Je veux lui donner le baiser de paix, à l'exemple du saint solitaire Antoine qui, s'étant rendu auprès de l'ermite Paul, l'embrassa par trois fois. Nous nous entretiendrons des choses éternelles et peut-être notre Seigneur nous enverra-t-il par un corbeau un pain que mon hôte m'invitera honnêtement à rompre.

Tandis qu'il se parlait ainsi à lui-même, il tournait autour de la hutte, cherchant s'il ne découvrirait personne. Il n'avait pas fait cent pas, qu'il aperçut un homme assis, les jambes croisées sur la berge du Nil. Cet homme était nu; sa chevelure comme sa barbe entièrement blanche, et son corps plus rouge que la brique. Paphnuce ne douta point que ce ne fût l'ermite. Il le salua par les paroles que les moines ont coutume d'échanger quand ils se rencontrent.

— Que la paix soit avec toi, mon frère! Puisses-tu goûter un jour le doux rafraîchissement du Paradis.

L'homme ne répondit point. Il demeurait immobile et semblait ne pas entendre. Paphnuce s'imagina que ce silence était causé par un de ces ravissements dont les saints sont coutumiers. Il se mit à genoux, les mains jointes, à côté de l'inconnu et resta ainsi en prières jusqu'au coucher du soleil. A ce moment, voyant que son compagnon n'avait pas bougé, il lui dit :

— Mon père, si tu es sorti de l'extase où je t'ai vu plongé, donne-moi ta bénédiction en notre Seigneur Jésus-Christ.

L'autre lui répondit sans tourner la tête :

— Étranger, je ne sais ce que tu veux dire et ne connais point ce Seigneur Jésus-Christ.

— Quoi ! s'écria Paphnuce. Les prophètes l'ont annoncé ; des légions de martyrs ont confessé son nom ; César lui-même l'a adoré et tantôt encore j'ai fait proclamer sa gloire par le Sphinx de Silsilé. Est-il possible que tu ne le connaisses pas?

— Mon ami, répondit l'autre, cela est possible. Ce serait même certain, s'il y avait quelque certitude au monde.

Paphnuce était surpris et contristé de l'incroyable ignorance de cet homme.

— Si tu ne connais Jésus-Christ, lui dit-il, tes œuvres ne te serviront de rien et tu ne gagneras pas la vie éternelle.

Le vieillard répliqua :

— Il est vain d'agir ou de s'abstenir; il est indifférent de vivre ou de mourir.

— Eh quoi ! demanda Paphnuce, tu ne désires pas vivre dans l'éternité? Mais, dis-moi, n'habites-tu pas une cabane dans ce désert à la façon des anachorètes?

— Il paraît.

— Ne vis-tu pas nu et dénué de tout?

— Il paraît.

— Ne te nourris-tu pas de racines et ne pratiques-tu pas la chasteté?

— Il paraît.

— N'as-tu pas renoncé à toutes les vanités de ce monde?

— J'ai renoncé en effet aux choses vaines qui font communément le souci des hommes.

— Ainsi tu es comme moi pauvre, chaste et solitaire. Et tu ne l'es pas comme moi pour l'amour de Dieu, et en vue de la félicité céleste ! C'est ce que je ne puis comprendre. Pourquoi es-tu vertueux si tu ne crois pas en Jésus-Christ? Pourquoi te prives-tu des biens de ce monde, si tu n'espères pas gagner les biens éternels?

— Étranger, je ne me prive d'aucun bien, et je me flatte d'avoir trouvé une manière de vivre assez satisfaisante, bien qu'à parler exactement, il n'y ait ni bonne ni mauvaise vie. Rien n'est en soi honnête ni honteux, juste ni injuste, agréable ni pénible, bon ni mauvais. C'est l opinion qui donne les qualités aux choses comme le sel donne la saveur aux mets.

— Ainsi donc, selon toi, il n'y a pas de certitude. Tu nies la vérité que les idolâtres eux-mêmes ont cherchée. Tu te couches dans ton ignorance, comme un chien fatigué qui dort dans la boue.

— Étranger, il est également vain d'injurier les chiens et les philosophes. Nous ignorons ce que sont les chiens et ce que nous sommes. Nous ne savons rien.

— O vieillard, appartiens-tu donc à la secte ridicule des sceptiques? Es-tu donc de ces misérables fous qui nient également le mouvement et le repos et qui ne savent point distinguer la lumière du soleil d'avec les ombres de la nuit?

— Mon ami, je suis sceptique en effet, et d'une secte qui me paraît louable, tandis que tu la juges ridicule. Car les mêmes choses ont diverses apparences. Les pyramides de Memphis semblent, au lever de l'aurore, des cônes de lumière rose. Elles apparaissent, au coucher du soleil, sur le ciel embrasé comme de noirs triangles. Mais qui pénétrera leur intime substance? Tu me reproches de nier les apparences, quand au contraire les apparences sont les seules réalités que je reconnaisse. Le soleil me semble lumineux, mais sa nature m'est inconnue. Je sens que le feu brûle, mais je ne sais ni comment ni pourquoi. Mon ami, tu m'entends bien mal. Au reste, il est indifférent d'être entendu d'une manière ou d'une autre.

— Encore une fois, pourquoi vis-tu de dattes et d'oignons dans le désert? Pourquoi endures-tu de grands maux? J'en supporte d'aussi grands et je pratique comme toi l'abstinence dans la solitude. Mais c'est afin de plaire à Dieu et de mériter la béatitude sempiternelle. Et c'est là une fin raisonnable, car il est sage de souffrir, en vue d'un grand bien. Il est insensé au contraire de s'exposer volontairement à d'inutiles fatigues et à de vaines souffrances. Si je ne croyais pas, — pardonne ce blasphème, ô

Lumière incréée ! — si je ne croyais pas à la vérité de ce que Dieu nous a enseigné par la voix des prophètes, par l'exemple de son fils, par les actes des apôtres, par l'autorité des conciles et par le témoignage des martyrs, si je ne savais pas que les souffrances du corps sont nécessaires à la santé de l'âme, si j'étais, comme toi, plongé dans l'ignorance des sacrés mystères, je retournerais tout de suite dans le siècle, je m'efforcerais d'acquérir des richesses pour vivre dans la mollesse comme les heureux de ce monde, et je dirais aux voluptés : « Venez, mes filles, venez, mes servantes, venez toutes me verser vos vins, vos philtres et vos parfums. » Mais toi, vieillard insensé, tu te prives de tous les avantages ; tu perds sans attendre aucun gain : tu donnes sans espoir de retour et tu imites ridiculement les travaux admirables de nos anachorètes, comme un singe effronté pense, en barbouillant un mur, copier le tableau d'un peintre ingénieux. O le plus stupide des hommes, quelles sont donc tes raisons ?

Paphnuce parlait ainsi avec une grande violence. Mais le vieillard demeurait paisible.

— Mon ami, répondit-il doucement, que t'importent les raisons d'un chien endormi dans la fange et d'un singe malfaisant?

Paphnuce n'avait jamais en vue que la gloire de Dieu. Sa colère étant tombée, il s'excusa avec une noble humilité.

— Pardonne-moi, dit-il, ô vieillard, ô mon frère, si le zèle de la vérité m'a emporté au delà des justes bornes. Dieu m'est témoin que c'est ton erreur et non ta personne que je haïssais. Je souffre de te voir dans les ténèbres, car je t'aime en Jésus-Christ et le soin de ton salut occupe mon cœur. Parle, donne-moi tes raisons : je brûle de les connaître afin de les réfuter.

Le vieillard répondit avec quiétude :

— Je suis également disposé à parler et à me taire. Je te donnerai donc mes raisons, sans te demander les tiennes en échange, car tu ne m'intéresses en aucune manière. Je n'ai souci ni de ton bonheur ni de ton infortune et il m'est indifférent que tu penses d'une façon ou d'une autre. Et comment t'aimerais-je ou te haïrais-je? L'aversion et la sympathie sont également indignes du sage. Mais, puisque tu m'interroges, sache donc que je me nomme Timoclès et que je suis né à Cos de parents enrichis dans le négoce. Mon père armait des navires. Son intelligence ressemblait beaucoup à celle d'Alexandre, qu'on a surnommé le Grand. Pourtant elle était moins épaisse. Bref, c'était une pauvre nature d'homme. J'avais deux frères qui suivaient comme lui la profession d'armateurs. Moi, je professais la sagesse. Or, mon frère aîné fut contraint par notre père d'épouser une femme carienne nommée Timaessa, qui lui déplaisait si fort qu'il ne put vivre à son côté sans tomber dans une noire mélancolie. Cependant Timaessa inspirait à notre frère cadet un amour criminel et cette passion se changea bientôt en manie furieuse. La Carienne les tenait tous deux en égale aversion. Mais elle aimait un joueur de flûte et le recevait la nuit dans sa chambre. Un matin, il y laissa la couronne qu'il portait d'ordinaire dans les festins. Mes deux frères ayant trouvé cette couronne, jurèrent de tuer le joueur de flûte et, dès le lendemain, ils le firent périr sous le fouet, malgré ses larmes et ses prières. Ma belle-sœur en éprouva un désespoir qui lui fit perdre la raison, et ces trois misérables, devenus semblables à des bêtes, promenaient leur démence sur les rivages de Cos, hurlant comme des loups, l'écume aux lèvres, le regard attaché à la terre, parmi les huées des enfants qui leur jetaient les coquilles. Ils moururent et mon père les ensevelit de ses mains. Peu de temps après, son estomac refusa toute nourriture et il expira de faim, assez riche pour acheter toutes les viandes et tous les fruits des marchés de l'Asie. Il était désespéré de me laisser sa fortune. Je l'employai à voyager. Je visitai l'Italie, la Grèce et l'Afrique sans rencontrer personne de sage ni d'heureux. J'étudiai la philosophie à Athènes et à Alexandrie et je fus étourdi du bruit des disputes. Enfin m'étant promené jusque dans l'Inde, je vis au bord du Gange un homme nu, qui demeurait là immobile, les jambes croisées depuis trente ans. Des lianes couraient autour de son corps desséché et les oiseaux nichaient dans ses cheveux. Il vivait pourtant. Je me rappelai, à sa vue, Timaessa, le joueur de flûte, mes deux frères et mon père, et je compris que cet Indien était sage. « Les hommes, me dis-je, souffrent parce qu'ils sont privés de ce qu'ils croient être un bien, ou que, le possédant, ils craignent de le perdre, ou parce qu'ils endurent ce qu'ils croient être un mal. Supprimez toute croyance de ce genre et tous les maux disparaissent. » C'est pourquoi je résolus de ne jamais tenir aucune chose pour avantageuse, de professer l'entier détachement des biens de ce monde et de vivre dans la solitude et dans l'immobilité, à l'exemple de l'Indien.

Paphnuce avait écouté attentivement le récit du vieillard.

— Timoclès de Cos, répondit-il, je confesse que tout, dans tes propos, n'est pas dépourvu de sens. Il est sage, en effet, de mépriser les biens de ce monde. Mais il serait insensé de mépriser pareillement les biens éternels et de s'exposer à la colère de Dieu. Je déplore ton ignorance, Timoclès, et je vais t'instruire dans la vérité, afin que connaissant qu'il existe un Dieu en trois hypostases, tu obéisses à ce Dieu comme un enfant à son père.

Mais Timoclès l'interrompant :

— Garde-toi, étranger, de m'exposer tes

doctrines et ne pense pas me contraindre à partager ton sentiment. Toute dispute est stérile. Mon opinion est de n'avoir pas d'opinion. Je vis exempt de troubles à la condition de vivre sans préférences. Poursuis ton chemin, et ne tente pas de me tirer de la bienheureuse apathie où je suis plongé, comme dans un bain délicieux, après les rudes travaux de mes jours.

Paphnuce était profondément instruit dans les choses de la foi. Par la connaissance qu'il avait des cœurs, il comprit que la grâce de Dieu n'était pas sur le vieillard Timoclès et que le jour du salut n'était pas encore venu pour cette âme acharnée à sa perte. Il ne répondit rien, de peur que l'édification tournât en scandale. Car il arrive parfois qu'en disputant contre les infidèles, on les induit de nouveau en péché, loin de les convertir. C'est pourquoi ceux qui possèdent la vérité doivent la répandre avec prudence.

— Adieu donc! dit-il, malheureux Timoclès.

Et, poussant un grand soupir, il reprit dans la nuit son pieux voyage.

Au matin, il vit des ibis immobiles sur une

patte, au bord de l'eau, qui reflétait leur cou pâle et rose. Les saules étendaient au loin sur la berge leur doux feuillage gris; des grues volaient en triangle dans le ciel clair et l'on entendait parmi les roseaux le cri des hérons invisibles. Le fleuve roulait à perte de vue ses larges eaux vertes où des voiles glissaient comme des ailes d'oiseaux, où, çà et là, au bord, se mirait une maison blanche, et sur lesquelles flottaient au loin des vapeurs légères, tandis que des îles lourdes de palmes, de fleurs et de fruits, laissaient s'échapper de leurs ombres des nuées bruyantes de canards, d'oies, de flamants et de sarcelles. A gauche, la grasse vallée étendait jusqu'au désert ses champs et ses vergers qui frissonnaient dans la joie, le soleil dorait les épis, et la fécondité de la terre s'exhalait en poussières odorantes. A cette vue, Paphnuce, tombant à genoux, s'écria :

— Béni soit le Seigneur, qui a favorisé mon voyage! Toi qui répands ta rosée sur les figuiers de l'Arsinoïtide, mon Dieu, fais descendre la grâce dans l'âme de cette Thaïs que tu n'as pas formée avec moins d'amour que les fleurs des champs et les arbres des jardins. Puisse-telle fleurir par mes soins comme un rosier balsamique dans ta Jérusalem céleste!

Et chaque fois qu'il voyait un arbre fleuri ou un brillant oiseau, il songeait à Thaïs. C'est ainsi que, longeant le bras gauche du fleuve à travers des contrées fertiles et populeuses, il atteignit en peu de journées cette Alexandrie que les Grecs ont surnommée la belle et la dorée. Le jour était levé depuis une heure quand il découvrit du haut d'une colline la ville spacieuse dont les toits étincelaient dans la vapeur rose. Il s'arrêta et, croisant les bras sur sa poitrine :

— Voilà donc, se dit-il, le séjour délicieux où je suis né dans le péché, l'air brillant où j'ai respiré des parfums empoisonnés, la mer voluptueuse où j'écoutais chanter les Sirènes! Voilà mon berceau selon la chair, voilà ma patrie selon le siècle! Berceau fleuri, patrie illustre au jugement des hommes! Il est naturel à tes enfants, Alexandrie, de te chérir comme une mère et je fus engendré dans ton sein magnifiquement paré. Mais l'ascète méprise la nature, le mystique dédaigne les apparences, le chrétien regarde sa patrie humaine comme un lieu d'exil, le moine échappe à la terre. J'ai détourné mon cœur de ton amour, Alexandrie. Je te hais! Je te hais pour ta richesse, pour ta science, pour ta douceur et pour ta beauté. Soit maudit, temple des démons! Couche impudique des gentils, chaire empestée des ariens, sois maudite! Et toi, fils ailé du Ciel qui conduisis le saint ermite Antoine, notre père, quand, venu du fond du désert, il pénétra dans cette citadelle de l'idolâtrie pour affermir la foi des confesseurs et la constance des martyrs, bel ange du Seigneur, invisible enfant, premier souffle de Dieu, vole devant moi et parfume du battement de tes ailes l'air corrompu que je vais respirer parmi les princes ténébreux du siècle!

Il dit et reprit sa route. Il entra dans la ville par la porte du Soleil. Cette porte était de pierre et s'élevait avec orgueil. Mais des misérables, accroupis dans son ombre, offraient aux passants des citrons et des figues ou mendiaient une obole en se lamentant.

Une vieille femme en haillons, qui était agenouillée là, saisit le cilice du moine, le baisa et dit :

— Homme du Seigneur, bénis-moi afin que Dieu me bénisse. J'ai beaucoup souffert en ce monde, je veux avoir toutes les joies dans l'autre. Tu viens de Dieu, ô saint homme, c'est pourquoi la poussière de tes pieds est plus précieuse que l'or.

— Le Seigneur soit loué, dit Paphnuce.

Et il forma de sa main entr'ouverte le signe de la rédemption sur la tête de la vieille femme.

Mais à peine avait-il fait vingt pas dans la rue qu'une troupe d'enfants se mit à le huer et à lui jeter des pierres en criant :

— Oh ! le méchant moine ! Il est plus noir qu'un cynocéphale et plus barbu qu'un bouc. C'est un fainéant ! Que ne le pend-on dans quelque verger, comme un Priape de bois, pour effrayer les oiseaux ? Mais non, il attirerait la grêle sur les amandiers en fleurs. Il porte malheur. Qu'on le crucifie, le moine ! qu'on le crucifie !

Et les pierres volaient avec les cris.

— Mon Dieu ! bénissez ces pauvres enfants, murmura Paphnuce.

Et il poursuivit son chemin songeant :

— Je suis en vénération à cette vieille

femme et en mépris à ces enfants. Ainsi un même objet est apprécié différemment par les hommes qui sont incertains dans leurs jugements et sujets à l'erreur. Il faut en convenir, pour un gentil, le vieillard Timoclès n'est pas dénué de sens. Aveugle, il se sait privé de lumière. Combien il l'emporte pour le raisonnement sur ces idolâtres qui s'écrient du fond de leurs épaisses ténèbres : Je vois le jour! Tout dans ce monde est mirage et sable mouvant. En Dieu seul est la stabilité.

Cependant il traversait la ville d'un pas rapide. Après dix années d'absence, il en reconnaissait chaque pierre, et chaque pierre était une pierre de scandale qui lui rappelait un péché. C'est pourquoi il frappait rudement de ses pieds nus les dalles des larges chaussées, et il se réjouissait d'y marquer la trace sanglante de ses talons déchirés. Laissant à sa gauche les magnifiques portiques du temple de Sérapis, il s'engagea dans une voie bordée de riches demeures qui semblaient assoupies parmi les parfums. Là les pins, les érables, les térébinthes élevaient leur tête au-dessus des corniches rouges et des acrotères d'or. On voyait, par les portes entr'ouvertes, des statues d'airain dans des vestibules de marbre et des jets d'eau au milieu du feuillage. Aucun bruit ne troublait la paix de ces belles retraites. On entendait seulement le son lointain d'une flûte. Le moine s'arrêta devant une maison assez petite, mais de nobles proportions et soutenue par des colonnes gracieuses comme des jeunes filles. Elle était ornée des bustes en bronze des plus illustres philosophes de la Grèce.

Il y reconnut Platon, Socrate, Aristote, Épicure et Zénon, et ayant heurté le marteau contre la porte, il attendit en songeant :

— C'est en vain que le métal glorifie ces faux sages, leurs mensonges sont confondus; leurs âmes sont plongées dans l'enfer et le fameux Platon lui-même, qui remplit la terre du bruit de son éloquence, ne dispute désor mais qu'avec les diables.

Un esclave vint ouvrir la porte et, trouvant un homme pieds nus sur la mosaïque du seuil, il lui dit durement :

— Va mendier ailleurs, moine ridicule, et n'attends pas que je te chasse à coups de bâton.

— Mon frère, répondit l'abbé d'Antinoé, je ne te demande rien, sinon que tu me conduises à Nicias, ton maître.

L'esclave répondit avec plus de colère :

— Mon maître ne reçoit pas des chiens comme toi.

— Mon fils, reprit Paphnuce, fais, s'il te plaît, ce que je te demande, et dis à ton maître que je désire le voir.

— Hors d'ici, vil mendiant ! s'écria le portier furieux.

Et il leva son bâton sur le saint homme, qui, mettant ses bras en croix contre sa poitrine, reçut sans s'émouvoir le coup en plein visage, puis répéta doucement :

— Fais ce que j'ai demandé, mon fils, je te prie.

Alors le portier, tout tremblant, murmura :

— Quel est cet homme qui ne craint point la souffrance ?

Et il courut avertir son maître.

Nicias sortait du bain. De belles esclaves promenaient les strigiles sur son corps. C'était un homme gracieux et souriant. Une expression de douce ironie était répandue sur son visage. A la vue du moine, il se leva et s'avança les bras ouverts :

— C'est toi, s'écria-t-il, Paphnuce mon condisciple, mon ami, mon frère ! Oh ! je te reconnais, bien qu'à vrai dire tu te sois rendu plus semblable à une bête qu'à un homme. Embrasse-moi. Te souvient-il du temps où nous étudiions ensemble la grammaire, la rhétorique et la philosophie ? On te trouvait déjà l'humeur sombre et sauvage, mais je t'aimais pour ta parfaite sincérité. Nous disions que tu voyais l'univers avec les yeux farouches d'un cheval, et qu'il n'était pas surprenant que tu fusses ombrageux. Tu manquais un peu d'atticisme, mais ta libéralité n'avait pas de bornes. Tu ne tenais ni à ton argent ni à ta vie. Et il y avait en toi un génie bizarre, un esprit étrange qui m'intéressait infiniment. Sois le bienvenu, mon cher Paphnuce, après dix ans d'absence. Tu as quitté le désert ; tu renonces aux superstitions chrétiennes, et tu renais à l'ancienne vie. Je marquerai ce jour d'un caillou blanc.

» Crobyle et Myrtale, ajouta-t-il en se tournant vers les femmes, parfumez les pieds, les mains et la barbe de mon cher hôte.

Déjà elles apportaient en souriant l'aiguière, les fioles et le miroir de métal. Mais Paphnuce, d'un geste impérieux, les arrêta et tint les yeux baissés pour ne les plus voir ; car elles étaient nues. Cependant Nicias lui présentait des coussins, lui offrait des mets et des breuvages divers, que Paphnuce refusait avec mépris.

— Nicias, dit-il, je n'ai pas renié ce que tu appelles faussement la superstition chrétienne, et qui est la vérité des vérités. Au commencement était le Verbe et le Verbe était en Dieu et le Verbe était Dieu. Tout a été fait par lui, et rien de ce qui a été fait n'a été fait sans lui. En lui était la vie, et la vie était la lumière des hommes.

— Cher Paphnuce, répondit Nicias, qui venait de revêtir une tunique parfumée, penses-tu m'étonner en récitant des paroles assemblées sans art et qui ne sont qu'un vain murmure ? As-tu oublié que je suis moi-même quelque peu philosophe ? Et penses-tu me con tenter avec quelques lambeaux arrachés par des hommes ignorants à la pourpre d'Amélius, quand Amélius, Porphyre et Platon, dans toute leur gloire, ne me contentent pas ? Les systèmes construits par les sages ne sont que des contes imaginés pour amuser l'éternelle enfance des hommes. Il faut s'en divertir comme des contes de l'Ane, du Cuvier, de la Matrone d'Éphèse ou de toute autre fable milésienne.

Et, prenant son hôte par le bras, il l'entraîna dans une salle où des milliers de papyrus étaient roulés dans des corbeilles.

— Voici ma bibliothèque, dit-il ; elle contient une faible partie des systèmes que les philosophes ont construits pour expliquer le monde. Le Sérapéum lui-même, dans sa richesse, ne les renferme pas tous. Hélas ! ce ne sont que des rêves de malades.

Il força son hôte à prendre place dans une chaise d'ivoire et s'assit lui-même. Paphnuce promena sur les livres de la bibliothèque un regard sombre et dit :

— Il faut les brûler tous.

— O doux hôte, ce serait dommage ! répondit Nicias. Car les rêves des malades sont parfois amusants. D'ailleurs, s'il fallait détruire tous les rêves et toutes les visions des hommes, la terre perdrait ses formes et ses couleurs et nous

nous endormirions tous dans une morne stupidité.

Paphnuce poursuivait sa pensée :

— Il est certain que les doctrines des païens ne sont que de vains mensonges. Mais Dieu, qui est la vérité, s'est révélé aux hommes par des miracles. Et il s'est fait chair et il a habité parmi nous.

Nicias répondit :

— Tu parles excellemment, chère tête de Paphnuce, quand tu dis qu'il s'est fait chair. Un Dieu qui pense, qui agit, qui parle, qui se promène dans la nature comme l'antique Ulysse sur la mer glauque, est tout à fait un homme. Comment penses-tu croire à ce nouveau Jupiter, quand les marmots d'Athènes, au temps de Périclès, ne croyaient déjà plus à l'ancien ? Mais laissons cela. Tu n'es pas venu, je pense, pour disputer sur les trois hypostases. Que puis-je faire pour toi, cher condisciple ?

— Une chose tout à fait bonne, répondit l'abbé d'Antinoé. Me prêter une tunique parfumée semblable à celle que tu viens de revêtir. Ajoute à cette tunique, par grâce, des sandales dorées et une fiole d'huile, pour oindre ma barbe et mes cheveux. Il convient aussi que tu me donnes une bourse de mille drachmes. Voilà, ô Nicias, ce que j'étais venu te demander, pour l'amour de Dieu et en souvenir de notre ancienne amitié.

Nicias fit apporter par Crobyle et Myrtale sa plus riche tunique; elle était brodée, dans le style asiatique, de fleurs et d'animaux. Les deux femmes la tenaient ouverte et elles en faisaient jouer habilement les vives couleurs, en attendant que Paphnuce retirât le cilice dont il était couvert jusqu'aux pieds. Mais le moine ayant déclaré qu'on lui arracherait plutôt la chair que ce vêtement, elles passèrent la tunique pardessus. Comme ces deux femmes étaient belles, elles ne craignaient pas les hommes, bien qu'elles fussent esclaves. Elles se mirent à rire de la mine étrange qu'avait le moine ainsi paré. Crobyle l'appelait son cher satrape, en lui présentant le miroir, et Myrtale lui tirait la barbe. Mais Paphnuce priait le Seigneur et ne les voyait pas. Ayant chaussé les sandales dorées et attaché la bourse à sa ceinture il dit à Nicias, qui le regardait d'un œil égayé :

— O Nicias! il ne faut pas que les choses

que tu vois soient un scandale pour tes yeux. Sache bien que je ferai un pieux emploi de cette tunique, de cette bourse et de ces sandales.

— Très cher, répondit Nicias, je ne soupçonne point le mal, car je crois les hommes également incapables de mal faire et de bien faire. Le bien et le mal n'existent que dans l'opinion. Le sage n'a, pour raisons d'agir, que la coutume et l'usage. Je me conforme aux préjugés qui règnent à Alexandrie. C'est pourquoi je passe pour un honnête homme. Va, ami, et réjouis-toi.

Mais Paphnuce songea qu'il convenait d'avertir son hôte de son dessein.

— Tu connais, lui dit-il, cette Thaïs qui joue dans les jeux du théâtre?

— Elle est belle, répondit Nicias, et il fut un temps où elle m'était chère. J'ai vendu pour elle un moulin et deux champs de blé et j'ai composé à sa louange trois livres d'élégies fidèlement imitées de ces chants si doux dans lesquels Cornélius Gallus célébra Lycoris. Hélas! Gallus chantait, en un siècle d'or, sous les regards des muses ausoniennes. Et moi, né dans des temps barbares, j'ai tracé avec un roseau du Nil mes hexamètres et mes pentamètres. Les ouvrages produits en cette époque et dans cette contrée sont voués à l'oubli. Certes, la beauté est ce qu'il y a de plus puissant au monde et, si nous étions faits pour la posséder toujours, nous nous soucierions aussi peu que possible du démiurge, du logos, des éons et de toutes les autres rêveries des philosophes. Mais j'admire, bon Paphnuce, que tu viennes du fond de la Thébaïde me parler de Thaïs.

Ayant dit, il soupira doucement. Et Paphnuce le contemplait avec horreur, ne concevant pas qu'un homme pût avouer si tranquillement un tel péché. Il s'attendait à voir la terre s'ouvrir et Nicias s'abîmer dans les flammes. Mais le sol resta ferme et l'Alexandrin silencieux, le front dans la main, souriait tristement aux images de sa jeunesse envolée. Le moine, s'étant levé, reprit d'une voix grave :

— Sache donc, ô Nicias ! qu'avec l'aide de Dieu j'arracherai cette Thaïs aux immondes amours de la terre et la donnerai pour épouse à Jésus-Christ. Si l'Esprit saint ne m'abandonne, Thaïs quittera aujourd'hui cette ville pour entrer dans un monastère.

— Crains d'offenser Vénus, répondit Nicias ; c'est une puissante déesse. Elle sera irritée contre toi, si tu lui ravis sa plus illustre servante.

— Dieu me protégera, dit Paphnuce. Puisse-t-il éclairer ton cœur, ô Nicias, et te tirer de l'abîme où tu es plongé !

Et il sortit. Mais Nicias l'accompagna sur le seuil, il lui posa la main sur l'épaule et lui répéta dans le creux de l'oreille :

— Crains d'offenser Vénus ; sa vengeance est terrible.

Paphnuce dédaigneux des paroles légères sortit sans détourner la tête. Les propos de Nicias ne lui inspiraient que du mépris ; mais ce qu'il ne pouvait souffrir, c'est l'idée que son ami d'autrefois avait reçu les caresses de Thaïs. Il lui semblait que pécher avec cette femme, c'était pécher plus détestablement qu'avec toute autre. Il y trouvait une malice singulière, et Nicias lui était désormais en exécration. Il avait toujours haï l'impureté, mais certes les images de ce vice ne lui avaient jamais paru à ce point abominables ; jamais il n'avait partagé d'un tel cœur la colère de Jésus-Christ et la tristesse des anges.

Il n'en éprouvait que plus d'ardeur à tirer Thaïs du milieu des gentils, et il lui tardait de voir la comédienne afin de la sauver. Toutefois il lui fallait attendre, pour pénétrer chez cette femme, que la grande chaleur du jour fût tombée. Or, la matinée s'achevait à peine et Paphnuce allait par les voies populeuses. Il avait résolu de ne prendre aucune nourriture en cette journée afin d'être moins indigne des grâces qu'il demandait au Seigneur. A la grande tristesse de son âme, il n'osait entrer dans aucune des églises de la ville, parce qu'il les savait profanées par les ariens, qui y avaient renversé la table du Seigneur. En effet, ces hérétiques, soutenus par l'empereur d'Orient, avaient chassé le patriarche Athanase de son siège épiscopal, et ils remplissaient de trouble et de confusion les chrétiens d'Alexandrie.

Il marchait donc à l'aventure, tantôt tenant ses regards fixés à terre par humilité, tantôt levant les yeux vers le ciel, comme en extase. Après avoir erré quelque temps, il se trouva sur un des quais de la ville. Le port artificiel abritait devant lui d'innombrables navires aux sombres carènes, tandis que souriait au large, dans l'azur et l'argent, la mer perfide. Une galère, qui portait une Néréide à sa proue, venait de lever l'ancre. Les rameurs frappaient l'onde en chantant; déjà la blanche fille des eaux, couverte de perles humides, ne laissait plus voir au moine qu'un fuyant profil : elle franchit, conduite par son pilote, l'étroit passage ouvert sur le bassin d'Eunostos et gagna la haute mer, laissant derrière elle un sillage fleuri.

— Et moi aussi, songeait Paphnuce, j'ai désiré jadis m'embarquer en chantant sur l'océan du monde. Mais bientôt j'ai connu ma folie et la Néréide ne m'a point emporté.

En rêvant de la sorte, il s'assit sur un tas de cordages et s'endormit. Pendant son sommeil, il eut une vision. Il lui sembla entendre le son d'une trompette éclatante et, le ciel étant devenu couleur de sang, il comprit que les temps étaient venus. Comme il priait Dieu avec une grande ferveur, il vit une bête énorme qui venait à lui, portant au front une croix de lumière, et il reconnut le Sphinx de Silsilé. La bête le saisit entre les dents sans lui faire de mal et l'emporta pendu à sa bouche comme les chattes ont accoutumé d'emporter leurs petits. Paphnuce parcourut ainsi plusieurs royaumes, traversant les fleuves et franchissant les montagnes, et il parvint en un lieu désolé, couvert de roches affreuses et de cendres chaudes. Le sol, déchiré en plusieurs endroits, laissait passer par ces bouches une haleine embrasée. La bête posa doucement Paphnuce à terre et lui dit :

— Regarde !

Et Paphnuce, se penchant sur le bord de l'abîme, vit un fleuve de feu qui roulait dans l'intérieur de la terre, entre un double escarpement de roches noires. Là, dans une lumière livide, des démons tourmentaient des âmes. Les âmes gardaient l'apparence des corps qui les avaient contenues, et même des lambeaux de vêtements y restaient attachés. Ces âmes semblaient paisibles au milieu des tourments. L'une d'elles, grande, blanche, les yeux clos, une bandelette au front, un sceptre à la main, chantait ; sa voix remplissait d'harmonie le stérile rivage ; elle disait les dieux et les héros. De petits diables verts lui perçaient les lèvres et la gorge avec des fers rouges. Et l'ombre d'Homère chantait encore. Non loin, le vieil Anaxagore, chauve et chenu, traçait au compas des figures sur la poussière. Un démon lui versait de l'huile bouillante dans l'oreille sans pouvoir interrompre la méditation du sage. Et le moine découvrit une foule de personnes qui, sur la sombre rive, le long du fleuve ardent, lisaient ou méditaient avec tranquillité, ou conversaient en se promenant, comme des maîtres et des disciples, à l'ombre des platanes de l'Académie. Seul, le vieillard Timoclès se tenait à l'écart et secouait la tête comme un homme qui nie. Un ange de l'abîme agitait une torche sous ses yeux et Timoclès ne voulait voir ni l'ange ni la torche.

Muet de surprise à ce spectacle, Paphnuce se tourna vers la bête. Elle avait disparu, et le moine vit à la place du Sphinx une femme voilée, qui lui dit :

— Regarde et comprends : Tel est l'entêtement de ces infidèles, qu'ils demeurent dans l'enfer victimes des illusions qui les séduisaient sur la terre. La mort ne les a pas désabusés, car il est bien clair qu'il ne suffit pas de mourir pour voir Dieu. Ceux-là qui ignoraient la vérité parmi les hommes, l'ignoreront toujours.

Les démons qui s'acharnent autour de ces âmes, qui sont-ils, sinon les formes de la justice divine? C'est pourquoi ces âmes ne la voient ni ne la sentent. Étrangères à toute vérité, elles ne connaissent point leur propre condamnation, et Dieu même ne peut les contraindre à souffrir.

— Dieu peut tout, dit l'abbé d'Antinoé.

— Il ne peut l'absurde, répondit la femme voilée. Pour les punir, il faudrait les éclairer et s'ils possédaient la vérité ils seraient semblables aux élus.

Cependant Paphnuce, plein d'inquiétude et d'horreur, se penchait de nouveau sur le gouffre. Il venait de voir l'ombre de Nicias qui souriait, le front ceint de fleurs, sous des myrtes en cendre. Près de lui Aspasie de Milet, élégamment serrée dans son manteau de laine, semblait parler tout ensemble d'amour et de philosophie, tant l'expression de son visage était à la fois douce et noble. La pluie de feu qui tombait sur eux leur était une rosée rafraîchissante, et leurs pieds foulaient, comme une herbe fine, le sol embrasé. A cette vue, Paphnuce fut saisi de fureur.

— Frappe, mon Dieu, s'écria-t-il, frappe! c'est Nicias! Qu'il pleure! qu'il gémisse! qu'il grince des dents!... Il a péché avec Thaïs!...

Et Paphnuce se réveilla dans les bras d'un marin robuste comme Hercule qui le tirait sur le sable en criant :

— Paix! paix! l'ami. Par Protée, vieux pasteur de phoques! tu dors avec agitation. Si je ne t'avais retenu, tu tombais dans l'Eunostos. Aussi vrai que ma mère vendait des poissons salés, je t'ai sauvé la vie.

— J'en remercie Dieu, répondit Paphnuce.

Et, s'étant mis debout, il marcha droit devant lui, méditant sur la vision qui avait traversé son sommeil.

— Cette vision, se dit-il, est manifestement mauvaise; elle offense la bonté divine, en représentant l'enfer comme dénué de réalité. Sans doute elle vient du diable.

Il raisonnait ainsi parce qu'il savait discerner les songes que Dieu envoie de ceux qui sont produits par les mauvais anges. Un tel discernement est utile au solitaire qui vit sans cesse entouré d'apparitions; car en fuyant les hommes, on est sûr de rencontrer les esprits.

Les déserts sont peuplés de fantômes. Quand les pèlerins approchaient du château en ruines où s'était retiré le saint ermite Antoine, ils entendaient des clameurs comme il s'en élève aux carrefours des villes, dans les nuits de fête. Et ces clameurs étaient poussées par les diables qui tentaient ce saint homme.

Paphnuce se rappela ce mémorable exemple. Il se rappela saint Jean d'Égypte que, pendant soixante ans, le diable voulut séduire par des prestiges. Mais Jean déjouait les ruses de l'enfer. Un jour pourtant le démon, ayant pris le visage d'un homme, entra dans la grotte du vénérable Jean et lui dit : « Jean, tu prolongeras ton jeûne jusqu'à demain soir. » Et Jean, croyant entendre un ange, obéit à la voix du démon, et jeûna le lendemain, jusqu'à l'heure de vêpres. C'est la seule victoire que le prince des Ténèbres ait jamais remportée sur saint Jean l'Égyptien, et cette victoire est petite. C'est pourquoi il ne faut pas s'étonner si Paphnuce reconnut tout de suite la fausseté de la vision qu'il avait eue pendant son sommeil.

Tandis qu'il reprochait doucement à Dieu de l'avoir abandonné au pouvoir des démons, il se sentit poussé et entraîné par une foule d'hommes qui couraient tous dans le même sens. Comme il avait perdu l'habitude de marcher par les villes, il était ballotté d'un passant à un autre, ainsi qu'une masse inerte; et, s'étant embarrassé dans les plis de sa tunique, il pensa tomber plusieurs fois. Désireux de savoir où allaient tous ces hommes, il demanda à l'un d'eux la cause de cet empressement.

— Étranger, ne sais-tu pas, lui répondit celui-ci, que les jeux vont commencer et que Thaïs paraîtra sur la scène? Tous ces citoyens vont au théâtre, et j'y vais comme eux. Te plairait-il de m'y accompagner?

Découvrant tout à coup qu'il était convenable à son dessein de voir Thaïs dans les jeux, Paphnuce suivit l'étranger. Déjà le théâtre dressait devant eux son portique orné de masques éclatants, et sa vaste muraille ronde, peuplée d'innombrables statues. En suivant la foule, ils s'engagèrent dans un étroit corridor au bout duquel s'étendait l'amphithéâtre éblouissant de lumière. Ils prirent leur place sur un des rangs de gradins qui descendaient en escalier vers la scène, vide encore d'acteurs, mais décorée magnifiquement. La vue n'en était point cachée par un rideau, et l'on y remarquait un tertre semblable à ceux que les anciens peuples dédiaient aux ombres des héros. Ce tertre s'élevait au milieu d'un camp. Des faisceaux de lances étaient formés devant les tentes et des boucliers d'or pendaient à des mâts, parmi des rameaux de laurier et des couronnes de chêne. Là, tout était silence et sommeil. Mais un bourdonnement, semblable au bruit que font les abeilles dans la ruche, emplissait l'hémicycle chargé de spectateurs. Tous les visages, rougis par le reflet du voile de pourpre qui les couvrait de ses long frissons, se tournaient, avec une expression d'attente curieuse, vers ce grand espace silencieux, rempli par un tombeau et des tentes. Les femmes riaient en mangeant des citrons, et les familiers des jeux s'interpellaient gaiement, d'un gradin à l'autre.

Paphnuce priait au dedans de lui-même et se gardait des paroles vaines, mais son voisin commença à se plaindre du déclin du théâtre.

— Autrefois, dit-il, d'habiles acteurs déclamaient sous le masque les vers d'Euripide et de Ménandre. Maintenant on ne récite plus les drames, on les mime, et des divins spectacles dont Bacchus s'honora dans Athènes nous n'avons gardé que ce qu'un barbare, un Scythe même peut comprendre : l'attitude et le geste. Le masque tragique, dont l'embouchure, armée de lames de métal, enflait le son des voix, le cothurne qui élevait les personnages à la taille des dieux, la majesté tragique et le chant des beaux vers, tout cela s'en est allé. Des mimes, des ballerines, le visage nu, remplacent Paulus et Roscius. Qu'eussent dit les Athéniens de Périclès, s'ils avaient vu une femme se montrer sur la scène? Il est indécent qu'une femme paraisse en public. Nous sommes bien dégénérés pour le souffrir.

» Aussi vrai que je me nomme Dorion, la femme est l'ennemie de l'homme et la honte de la terre.

— Tu parles sagement, répondit Paphnuce, la femme est notre pire ennemie. Elle donne le plaisir et c'est en cela qu'elle est redoutable.

— Par les Dieux immobiles, s'écria Dorion, la femme apporte aux hommes non le plaisir, mais la tristesse, le trouble et les noirs soucis ! L'amour est la cause de nos maux les plus cuisants. Écoute, étranger : Je suis allé dans ma jeunesse, à Trézène, en Argolide, et j'y ai vu un myrte d'une grosseur prodigieuse, dont les feuilles étaient couvertes d'innombrables piqûres. Or, voici ce que rapportent les Trézéniens au sujet de ce myrte : La reine Phèdre, du temps qu'elle aimait Hippolyte, demeurait tout le jour languissamment couchée sous ce même arbre qu'on voit encore aujourd'hui. Dans son ennui mortel, ayant tiré l'épingle d'or qui retenait ses blonds cheveux, elle en perçait les feuilles de l'arbuste aux baies odorantes. Toutes les feuilles furent ainsi criblées de piqûres. Après avoir perdu l'innocent qu'elle poursuivait d'un amour incestueux, Phèdre, tu le sais, mourut misérablement. Elle s'enferma dans sa chambre nuptiale et se pendit par sa ceinture d'or à une cheville d'ivoire, Les dieux voulurent que le myrte, témoin d'une si cruelle misère, continuât à porter sur ses feuilles nouvelles des piqûres d'aiguilles. J'ai cueilli une de ces feuilles ; je l'ai placée au chevet de mon lit, afin d'être sans cesse averti par sa vue de ne point m'abandonner aux fureurs de l'amour et pour me confirmer dans la doctrine du divin Épicure, mon maître, qui enseigne que le désir est redoutable. Mais à proprement parler, l'amour est une maladie de foie et l'on n'est jamais sûr de ne pas tomber malade.

Paphnuce demanda :

— Dorion, quels sont tes plaisirs?

Dorion répondit tristement :

— Je n'ai qu'un seul plaisir et je conviens qu'il n'est pas vif ; c'est la méditation. Avec un mauvais estomac il n'en faut pas chercher d'autres.

Prenant avantage de ces dernières paroles, Paphnuce entreprit d'initier l'épicurien aux joies spirituelles que procure la contemplation de Dieu. Il commença :

— Entends la vérité, Dorion, et reçois la lumière.

Comme il s'écriait de la sorte, il vit de toutes parts des têtes et des bras tournés vers lui, qui lui ordonnaient de se taire. Un grand silence s'était fait dans le théâtre et bientôt éclatèrent les sons d'une musique héroïque.

Les jeux commençaient. On voyait des soldats sortir des tentes et se préparer au départ quand, par un prodige effrayant, une nuée couvrit le sommet du tertre funéraire. Puis, cette nuée s'étant dissipée, l'ombre d'Achille apparut, couverte d'une armure d'or. Étendant le bras vers les guerriers, elle semblait leur dire : « Quoi ! vous partez, enfants de Danaos ; vous retournez dans la patrie que je ne verrai plus et vous laissez mon tombeau sans offrandes ? » Déjà les principaux chefs des Grecs se pressaient au pied du tertre. Acanas, fils de Thésée, le vieux Nestor, Agamemnon, portant le sceptre et les bandelettes, contemplaient le prodige. Le jeune fils d'Achille, Pyrrhus, était prosterné dans la poussière. Ulysse, reconnaissable au bonnet d'où s'échappait sa chevelure bouclée, montrait par ses gestes qu'il approuvait l'ombre du héros. Il disputait avec Agamemnon et l'on devinait leurs paroles :

— Achille, disait le roi d'Ithaque, est digne d'être honoré parmi nous, lui qui mourut glorieusement pour l'Hellas. Il demande que la fille de Priam, la vierge Polyxène soit immolée sur sa tombe. Danaens, contentez les mânes du héros, et que le fils de Pelée se réjouisse dans le Hadès.

Mais le roi des rois répondait :

— Épargnons les vierges troiennes que nous avons arrachées aux autels. Assez de maux ont fondu sur la race illustre de Priam.

Il parlait ainsi parce qu'il partageait la couche de la sœur de Polyxène, et le sage Ulysse lui reprochait de préférer le lit de Cassandre à la lance d'Achille.

Tous les Grecs l'approuvèrent avec un grand bruit d'armes entre-choquées. La mort de Polyxène fut résolue et l'ombre apaisée d'Achille s'évanouit. La musique, tantôt furieuse et tantôt plaintive, suivait la pensée des personnages. L'assistance éclata en applaudissements.

Paphnuce, qui rapportait tout à la vérité divine, murmura :

— O lumières et ténèbres répandues sur les gentils ! De tels sacrifices, parmi les nations, annonçaient et figuraient grossièrement le sacrifice salutaire du fils de Dieu.

— Toutes les religions enfantent des crimes, répliqua l'Épicurien. Par bonheur un Grec divinement sage vint affranchir les hommes des vaines terreurs de l'inconnu...

Cependant Hécube, ses blancs cheveux épars, sa robe en lambeaux, sortait de la tente où elle était captive. Ce fut un long soupir quand on vit paraître cette parfaite image du malheur. Hécube, avertie par un songe prophétique, gémissait sur sa fille et sur elle-même. Ulysse était déjà près d'elle et lui demandait Polyxène. La vieille mère s'arrachait les cheveux, se déchirait les joues avec les ongles et baisait les mains de cet homme cruel qui, gardant son impitoyable douceur, semblait dire :

— Sois sage, Hécube, et cède à la nécessité. Il y a aussi dans nos maisons de vieilles mères qui pleurent leurs enfants endormis à jamais sous les pins de l'Ida.

Et Cassandre, reine autrefois de la florissante Asie, maintenant esclave, souillait de poussière sa tête infortunée.

Mais voici que, soulevant la toile de la tente, se montre la vierge Polyxène. Un frémissement unanime agita les spectateurs. Ils avaient reconnu Thaïs. Paphnuce la revit, celle-là qu'il venait chercher. De son bras blanc, elle retenait au-dessus de sa tête la lourde toile. Immobile, semblable à une belle statue, mais promenant autour d'elle le paisible regard de ses yeux de violette, douce et fière, elle donnait à tous le frisson tragique de la beauté.

Un murmure de louange s'éleva et Paphnuce l'âme agitée, contenant son cœur avec ses mains, soupira :

— Pourquoi donc, ô mon Dieu, donnes-tu ce pouvoir à une de tes créatures ?

Dorion, plus paisible, disait :

— Certes, les atomes qui s'associent pour composer cette femme présentent une combinaison agréable à l'œil. Ce n'est qu'un jeu de la nature et ces atomes ne savent ce qu'ils font. Ils se sépareront un jour avec la même indifférence qu'ils se sont unis. Où sont maintenant les atomes qui formèrent Laïs ou Cléopâtre ? Je n'en disconviens pas : les femmes sont quelquefois belles, mais elles sont soumises à de fâcheuses disgrâces et à des incommodités dégoûtantes. C'est à quoi songent les esprits méditatifs, tandis que le vulgaire des hommes n'y fait point attention. Et les femmes inspirent l'amour, bien qu'il soit déraisonnable de les aimer.

Ainsi le philosophe et l'ascète contemplaient Thaïs et suivaient leur pensée. Ils n'avaient vu ni l'un ni l'autre Hécube, tournée vers sa fille, lui dire par ses gestes :

— Essaie de fléchir le cruel Ulysse. Fais parler tes larmes, ta beauté, ta jeunesse!

Thaïs, où plutôt Polyxène elle-même, laissa retomber la toile de la tente. Elle fit un pas, et tous les cœurs furent domptés. Et quand, d'une démarche noble et légère, elle s'avança vers Ulysse, le rythme de ses mouvements, qu'accompagnait le son des flûtes, faisait songer à tout un ordre de choses heureuses, et il semblait qu'elle fût le centre divin des harmonies du monde. On ne voyait plus qu'elle, et tout le reste était perdu dans son rayonnement. Pourtant l'action continuait.

Le prudent fils de Laërte détournait la tête et cachait sa main sous son manteau, afin d'éviter les regards, les baisers de la suppliante. La vierge lui fit signe de ne plus craindre. Ses regards tranquilles disaient :

— Ulysse, je te suivrai pour obéir à la

nécessité et parce que je veux mourir. Fille de Priam et sœur d'Hector, ma couche, autrefois jugée digne des rois, ne recevra pas un maître étranger. Je renonce librement à la lumière du jour.

Hécube, inerte dans la poussière, se releva soudain et s'attacha à sa fille d'une étreinte désespérée. Polyxène dénoua avec une douceur résolue les vieux bras qui la liaient. On croyait l'entendre :

— Mère, ne t'expose pas aux outrages du maître. N'attends pas que, t'arrachant à moi, il ne te traîne indignement. Plutôt, mère bien-aimée, tends-moi cette main ridée et approche tes joues creuses de mes lèvres.

La douleur était belle sur le visage de Thaïs ; la foule se montrait reconnaissante à cette femme de revêtir ainsi d'une grâce surhumaine les formes et les travaux de la vie, et Paphnuce, lui pardonnant sa splendeur présente en vue de son humilité prochaine, se glorifiait par avance de la sainte qu'il allait donner au ciel.

Le spectacle touchait au dénouement. Hécube tomba comme morte et Polyxène, conduite par Ulysse, s'avança vers le tombeau qu'entourait l'élite des guerriers. Elle gravit, au bruit des chants de deuil, le tertre funéraire au sommet duquel le fils d'Achille faisait, dans une coupe d'or, des libations aux mânes du héros. Quand les sacrificateurs levèrent les bras pour la saisir, elle fit signe qu'elle voulait mourir libre, comme il convenait à la fille de tant de rois. Puis, déchirant sa tunique, elle montra la place de son cœur. Pyrrhus y plongea son glaive en détournant la tête, et, par un habile artifice, le sang jaillit à flots de la poitrine éblouissante de la vierge qui, la tête renversée et les yeux nageant dans l'horreur de la mort, tomba avec décence.

Cependant que les guerriers voilaient la victime et la couvraient de lis et d'anémones, des cris d'effroi et des sanglots déchiraient l'air, et Paphnuce, soulevé sur son banc, prophétisait d'une voix retentissante :

— Gentils, vils adorateurs des démons ! Et vous ariens plus infâmes que les idolâtres, instruisez-vous ! Ce que vous venez de voir est une image et un symbole. Cette fable renferme un sens mystique et bientôt la femme que vous voyez là sera immolée, hostie bien heureuse, au Dieu ressuscité !

Déjà la foule s'écoulait en flots sombres dans les vomitoires. L'abbé d'Antinoé, échappant à Dorion surpris, gagna la sortie en prophétisant encore.

Une heure après, il frappait à la porte de Thaïs.

La comédienne alors, dans le riche quartier de Racotis, près du tombeau d'Alexandre, habitait une maison entourée de jardins ombreux, dans lesquels s'élevaient des rochers artificiels et coulait un ruisseau bordé de peupliers. Une vieille esclave noire, chargée d'anneaux, vint lui ouvrir la porte et lui demanda ce qu'il voulait.

— Je veux voir Thaïs, répondit-il. Dieu m'est témoin que je ne suis venu ici que pour la voir.

Comme il portait une riche tunique et qu'il parlait impérieusement, l'esclave le fit entrer.

— Tu trouveras Thaïs, dit-elle, dans la grotte des Nymphes.

II

LE PAPYRUS

LE PAPYRUS

Thaïs était née de parents libres et pauvres, adonnés à l'idolâtrie. Du temps qu'elle était petite, son père gouvernait, à Alexandrie, proche la porte de la Lune, un cabaret que fréquentaient les matelots. Certains souvenirs vifs et détachés lui restaient de sa première enfance. Elle revoyait son père assis à l'angle du foyer, les jambes croisées, grand, redoutable et tranquille, tel qu'un de ces vieux Pharaons que célèbrent les complaintes chantées par les aveugles dans les carrefours. Elle revoyait aussi sa maigre et triste mère, errant comme un chat affamé dans la maison, qu'elle emplissait des éclats de sa voix aigre et des lueurs de ses yeux de phosphore. On contait dans le faubourg qu'elle était magicienne et qu'elle se changeait en chouette, la nuit, pour rejoindre ses amants. On mentait : Thaïs savait bien, pour l'avoir souvent épiée, que sa mère ne se livrait point aux arts magiques, mais que, dévorée d'avarice, elle comptait toute la nuit le gain de la journée. Ce père inerte et cette mère avide la laissaient chercher sa vie comme les bêtes de la basse-cour. Aussi était-elle devenue très habile à tirer une à une les oboles de la ceinture des matelots ivres, en les amusant par des chansons naïves et par des paroles infâmes dont elle ignorait le sens. Elle passait de genoux en genoux dans la salle imprégnée de l'odeur des boissons fermentées et des outres résineuses ; puis, les joues poissées de bière et piquées par les barbes rudes, elle s'échappait, serrant les oboles dans sa petite main, et courait acheter des gâteaux de miel à une vieille femme accroupie derrière ses paniers sous la porte de la Lune. C'était tous les jours les mêmes scènes : les matelots, contant leurs périls, quand l'Euros ébranlait les algues sous-marines, puis jouant aux dés ou aux osselets, et demandant, en blasphémant les dieux, la meilleure bière de Cilicie.

Chaque nuit, l'enfant était réveillée par les rixes des buveurs. Les écailles d'huîtres, volant par-dessus les tables, fendaient les fronts, au milieu des hurlements furieux. Parfois, à la lueur des lampes fumeuses, elle voyait les couteaux briller et le sang jaillir.

Ses jeunes ans ne connaissaient la bonté humaine que par le doux Ahmès, en qui elle était humiliée. Ahmès, l'esclave de la maison, Nubien plus noir que la marmite qu'il écumait gravement, était bon comme une nuit de sommeil. Souvent, il prenait Thaïs sur ses genoux et il lui contait d'antiques récits où il y avait des souterrains pleins de trésors, construits pour des rois avares, qui mettaient à mort les maçons et les architectes. Il y avait aussi, dans ces contes, d'habiles voleurs qui épousaient des filles de rois et des courtisanes qui élevaient des pyramides. La petite Thaïs aimait Ahmès comme un père, comme une mère, comme une nourrice et comme un chien. Elle s'attachait au pagne de l'esclave et le suivait dans le cellier aux amphores et dans la basse-cour, parmi les poulets maigres et hérissés, tout en bec, en ongles et en plumes, qui voletaient mieux que des aiglons devant le couteau du cuisinier noir. Souvent, la nuit, sur la paille, au lieu de dormir, il construisait pour Thaïs des petits moulins à eau et des navires grands comme la main avec tous leurs agrès.

Accablé de mauvais traitements par ses maîtres, il avait une oreille déchirée et le corps labouré de cicatrices. Pourtant son visage gardait un air joyeux et paisible. Et personne auprès de lui ne songeait à se demander d'où il tirait la consolation de son âme et l'apaisement de son cœur. Il était aussi simple qu'un enfant.

En accomplissant sa tâche grossière, il chantait d'une voix grêle des cantiques qui faisaient passer dans l'âme de l'enfant des frissons et des rêves. Il murmurait sur un ton grave et joyeux :

— Dis-nous, Marie, qu'as-tu vu là d'où tu viens ?
— J'ai vu le suaire et les linges, et les anges assis sur le tombeau.
Et j'ai vu la gloire du Ressuscité.

Elle lui demandait :

— Père, pourquoi chantes-tu les anges assis sur le tombeau?

Et il lui répondait :

— Petite lumière de mes yeux, je chante les anges, parce que Jésus Notre Seigneur est monté au ciel.

Ahmès était chrétien. Il avait reçu le baptême, et on le nommait Théodore dans les banquets des fidèles, où il se rendait secrètement pendant le temps qui lui était laissé pour son sommeil.

En ces jours-là l'Église subissait l'épreuve suprême. Par l'ordre de l'Empereur, les basiliques étaient renversées, les livres saints brûlés, les vases sacrés et les chandeliers fondus. Dépouillés de leurs honneurs, les chrétiens n'attendaient que la mort. La terreur régnait sur la communauté d'Alexandrie ; les prisons regorgeaient de victimes. On contait avec effroi, parmi les fidèles, qu'en Syrie, en Arabie, en Mésopotamie, en Cappadoce, par tout l'empire, les fouets, les chevalets, les ongles de fer, la croix, les bêtes féroces déchiraient les pontifes et les vierges. Alors Antoine, déjà célèbre par ses visions et ses solitudes, chef et prophète des croyants d'Égypte, fondit comme l'aigle, du haut de son rocher sauvage, sur la ville d'Alexandrie, et, volant d'église en église, embrasa de son feu la communauté tout entière. Invisible aux païens, il était présent à la fois dans toutes les assemblées des chrétiens, soufflant à chacun l'esprit de force et de prudence dont il était animé. La persécution s'exerçait avec une particulière rigueur sur les esclaves. Plusieurs d'entre eux, saisis d'épouvante, reniaient leur foi. D'autres, en plus grand nombre, s'enfuyaient au désert, espérant y vivre, soit dans la contemplation, soit dans le brigandage. Cependant Ahmès fréquentait comme de coutume les assemblées, visitait les prisonniers, ensevelissait les martyrs et professait avec joie la religion du Christ. Témoin de ce zèle véritable, le grand Antoine, avant de retourner au désert, pressa l'esclave noir dans ses bras et lui donna le baiser de paix.

Quand Thaïs eut sept ans, Ahmès commença à lui parler de Dieu.

— Le bon Seigneur Dieu, lui dit-il, vivait dans le ciel comme un Pharaon sous les tentes de son harem et sous les arbres de ses jardins.

Il était l'ancien des anciens et plus vieux que le monde, et n'avait qu'un fils, le prince Jésus, qu'il aimait de tout son cœur et qui passait en beauté les vierges et les anges. Et le bon Seigneur Dieu dit au prince Jésus :

» — Quitte mon harem et mon palais, et mes dattiers et mes fontaines vives. Descends sur la terre pour le bien des hommes. Là tu seras semblable à un petit enfant et tu vivras pauvre parmi les pauvres. La souffrance sera ton pain de chaque jour et tu pleureras avec tant d'abondance que tes larmes formeront des fleuves où l'esclave fatigué se baignera délicieusement. Va, mon fils !

» Le prince Jésus obéit au bon Seigneur et il vint sur la terre en un lieu nommé Bethléem de Juda. Et il se promenait dans les prés fleuris d'anémones, disant à ses compagnons :

» — Heureux ceux qui ont faim, car je les mènerai à la table de mon père ! Heureux ceux qui ont soif, car ils boiront aux fontaines du ciel ! Heureux ceux qui pleurent, car j'essuierai leurs yeux avec des voiles plus fins que ceux des princesses syriennes.

» C'est pourquoi les pauvres l'aimaient et

croyaient en lui. Mais les riches le haïssaient, redoutant qu'il n'élevât les pauvres au-dessus d'eux. En ce temps-là Cléopâtre et César étaient puissants sur la terre. Ils haïssaient tous deux Jésus et ils ordonnèrent aux juges et aux prêtres de le faire mourir. Pour obéir à la reine d'Égypte, les princes de Syrie dressèrent une croix sur une haute montagne et ils firent mourir Jésus sur cette croix. Mais des femmes lavèrent le corps et l'ensevelirent, et le prince Jésus, ayant brisé le couvercle de son tombeau, remonta vers le bon Seigneur son père.

» Et depuis ce temps-là tous ceux qui meurent en lui vont au ciel.

» Le Seigneur Dieu, ouvrant les bras, leur dit :

» — Soyez les bienvenus, puisque vous aimez le prince mon fils. Prenez un bain, puis mangez.

» Ils prendront leur bain au son d'une belle musique et, tout le long de leur repas, ils verront des danses d'almées et ils entendront des conteurs dont les récits ne finiront point. Le bon Seigneur Dieu les tiendra plus chers que la lumière de ses yeux, puisqu'ils seront ses hôtes, et ils auront dans leur partage les tapis de son caravansérail et les grenades de ses jardins.

Ahmès parla plusieurs fois de la sorte et c'est ainsi que Thaïs connut la vérité. Elle admirait et disait :

— Je voudrais bien manger les grenades du bon Seigneur.

Ahmès lui répondait :

— Ceux-là seuls qui sont baptisés en Jésus, goûteront les fruits du ciel.

Et Thaïs demandait à être baptisée. Voyant par là qu'elle espérait en Jésus, l'esclave résolut de l'instruire plus profondément, afin qu'étant baptisée, elle entrât dans l'Église. Et il s'attacha étroitement à elle, comme à sa fille en esprit.

L'enfant, sans cesse repoussée par ses parents injustes, n'avait point de lit sous le toit paternel. Elle couchait dans un coin de l'étable parmi les animaux domestiques. C'est là que, chaque nuit, Ahmès allait la rejoindre en secret.

Il s'approchait doucement de la natte où elle reposait, et puis s'asseyait sur ses talons, les jambes repliées, le buste droit, dans l'attitude héréditaire de toute sa race. Son corps et son visage, vêtus de noir, restaient perdus dans les ténèbres; seuls ses grands yeux blancs brillaient, et il en sortait une lueur semblable à un rayon de l'aube à travers les fentes d'une porte. Il parlait d'une voie grêle et chantante, dont le nasillement léger avait la douceur triste des musiques qu'on entend le soir dans les rues. Parfois, le souffle d'un âne et le doux meuglement d'un bœuf accompagnaient, comme un chœur d'obscurs esprits, la voix de l'esclave qui disait l'Évangile. Ses paroles coulaient paisiblement dans l'ombre qui s'imprégnait de zèle, de grâce et d'espérance; et la néophyte, la main dans la main d'Ahmès, bercée par les sons monotones et voyant de vagues images, s'endormait calme et souriante, parmi les harmonies de la nuit obscure et des saints mystères, au regard d'une étoile qui clignait entre les solives de la crèche.

L'initiation dura toute une année, jusqu'à l'époque où les chrétiens célèbrent avec allégresse les fêtes pascales. Or, une nuit de la semaine glorieuse, Thaïs, qui sommeillait déjà sur sa natte dans la grange, se sentit soulevée par l'esclave dont le regard brillait d'une clarté nouvelle. Il était vêtu, non point, comme de coutume, d'un pagne en lambeaux, mais d'un long manteau blanc sous lequel il serra l'enfant en disant tout bas :

— Viens, mon âme! viens, mes yeux! viens mon petit cœur! viens revêtir les aubes du baptême.

Et il emporta l'enfant pressée sur sa poitrine. Effrayée et curieuse, Thaïs, la tête hors du manteau, attachait ses bras au cou de son ami qui courait dans la nuit. Ils suivirent des ruelles noires; ils traversèrent le quartier des juifs; ils longèrent un cimetière où l'orfraie poussait son cri sinistre. Ils passèrent, dans un carrefour, sous des croix auxquelles pendaient les corps des suppliciés et dont les bras étaient chargés de corbeaux qui claquaient du bec. Thaïs cacha sa tête dans la poitrine de l'esclave. Elle n'osa plus rien voir le reste du chemin. Tout à coup il lui sembla qu'on la descendait sous terre. Quand elle rouvrit les yeux, elle se trouva dans un étroit caveau, éclairé par des torches de résine et dont les murs étaient peints de grandes figures droites qui semblaient s'animer sous la fumée des torches. On y voyait des hommes vêtus de longues tuniques et portant des palmes, au milieu d'agneaux, de colombes et de pampres.

Thaïs, parmi ces figures, reconnut Jésus de Nazareth à ce que des anémones fleurissaient à ses pieds. Au milieu de la salle, près d'une grande cuve de pierre remplie d'eau jusqu'au bord, se tenait un vieillard coiffé d'une mitre basse et vêtu d'une dalmatique écarlate, brodée d'or. De son maigre visage pendait une longue barbe. Il avait l'air humble et doux sous son riche costume. C'était l'évêque Vivantius qui, prince exilé de l'église de Cyrène, exerçait, pour vivre, le métier de tisserand et fabriquait de grossières étoffes de poil de chèvre. Deux pauvres enfants se tenaient debout à ses côtés. Tout proche, une vieille négresse présentait déployée une petite robe blanche. Ahmès, ayant posé l'enfant à terre, s'agenouilla devant l'évêque et dit :

— Mon père, voici la petite âme, la fille de mon âme. Je te l'amène afin que, selon ta promesse et s'il plaît à ta Sérénité, tu lui donnes le baptême de vie.

A ces mots, l'évêque, ayant ouvert les bras, laissa voir ses mains mutilées. Il avait eu les ongles arrachés en confessant la foi aux jours de l'épreuve. Thaïs eut peur et se jeta dans les bras d'Ahmès. Mais le prêtre la rassura par des paroles caressantes :

— Ne crains rien, petite bien-aimée. Tu as ici un père selon l'esprit, Ahmès, qu'on nomme Théodore parmi les vivants, et une douce mère dans la grâce qui t'a préparé de ses mains une robe blanche.

Et se tournant vers la négresse :

— Elle se nomme Nitida, ajouta-t-il; elle est esclave sur cette terre. Mais Jésus l'élèvera dans le ciel au rang de ses épouses.

Puis il interrogea l'enfant néophyte :

— Thaïs, crois-tu en Dieu, le père tout-puissant, en son fils unique qui mourut pour notre salut et en tout ce qu'ont enseigné les apôtres ?

— Oui, répondirent ensemble le nègre et la négresse, qui se tenaient par la main.

Sur l'ordre de l'évêque, Nitida, agenouillée, dépouilla Thaïs de tous ses vêtements. L'enfant était nue, un amulette au cou. Le pontife la plongea trois fois dans la cuve baptismale. Les acolytes présentèrent l'huile avec laquelle Vivantius fit les onctions et le sel dont il posa un grain sur les lèvres de la catéchumène. Puis, ayant essuyé ce corps destiné, à travers tant d'épreuves, à la vie éternelle, l'esclave Nitida le revêtit de la robe blanche qu'elle avait tissue de ses mains.

L'évêque donna à tous le baiser de paix et, la cérémonie terminée, dépouilla ses ornements sacerdotaux.

Quand ils furent tous hors de la crypte, Ahmès dit :

— Il faut nous réjouir en ce jour d'avoir donné une âme au bon Seigneur Dieu ; allons dans la maison qu'habite ta Sérénité, pasteur Vivantius, et livrons-nous à la joie tout le reste de la nuit.

— Tu as bien parlé, Théodore, répondit l'évêque.

Et il conduisit la petite troupe dans sa maison qui était toute proche. Elle se composait d'une seule chambre, meublée de deux métiers de tisserand, d'une table grossière et d'un tapis tout usé. Dès qu'ils y furent entrés :

— Nitida, cria le Nubien, apporte la poêle et la jarre d'huile, et faisons un bon repas.

En parlant ainsi, il tira de dessous son manteau de petits poissons qu'il y tenait cachés. Puis, ayant allumé un grand feu, il les fit frire. Et tous, l'évêque, l'enfant, les deux jeunes garçons et les deux esclaves, s'étant assis en cercle sur le tapis, mangèrent les poissons en bénissant le Seigneur. Vivantius parlait du martyre qu'il avait souffert et annonçait le triomphe prochain de l'Église. Son langage était rude, mais plein de jeux de mots et de figures. Il comparait la vie des justes à un tissu de pourpre et, pour expliquer le baptême, il disait :

— L'Esprit Saint flotta sur les eaux, c'est pourquoi les chrétiens reçoivent le baptême de l'eau. Mais les démons habitent aussi les ruisseaux ; les fontaines consacrées aux nymphes sont redoutables et l'on voit que certaines eaux apportent diverses maladies de l'âme et du corps.

Parfois il s'exprimait par énigmes et il inspirait ainsi à l'enfant une profonde admiration. A la fin du repas, il offrit un peu de vin à ses hôtes dont les langues se délièrent et qui se mirent à chanter des complaintes et des cantiques. Ahmès et Nitida, s'étant levés, dansèrent une danse nubienne qu'ils avaient apprise enfants, et qui se dansait sans doute dans la tribu depuis les premiers âges du monde. C'était une danse amoureuse ; agitant les bras et tout le corps balancé en cadence, ils feignaient tour à tour de se fuir et de se chercher. Ils roulaient de gros yeux et montraient dans un sourire des dents étincelantes.

C'est ainsi que Thaïs reçut le saint baptême.

Elle aimait les amusements et, à mesure qu'elle grandissait, de vagues désirs naissaient en elle. Elle dansait et chantait tout le jour des rondes avec les enfants errants dans les rues, et elle regagnait, à la nuit, la maison de son père, en chantonnant encore :

— Torti tortu, pourquoi gardes-tu la maison?
— Je dévide la laine et le fil de Milet.
— Torti tortu, comment ton fils a-t-il péri ?
— Du haut des chevaux blancs il tomba dans la mer.

Maintenant elle préférait à la compagnie du doux Ahmès celle des garçons et des filles. Elle ne s'apercevait point que son ami était moins souvent auprès d'elle. La persécution s'étant ralentie, les assemblées des chrétiens devenaient plus régulières et le Nubien les fréquentait assidûment. Son zèle s'échauffait; de mystérieuses menaces s'échappaient parfois de ses lèvres. Il disait que les riches ne garderaient point leurs biens. Il allait dans les places publiques où les chrétiens d'une humble condition avaient coutume de se réunir et là, rassemblant les misérables étendus à l'ombre des vieux murs, il leur annonçait l'affranchissement des esclaves et le jour prochain de la justice.

— Dans le royaume de Dieu, disait-il, les esclaves boiront des vins frais et mangeront des fruits délicieux, tandis que les riches, couchés à leurs pieds comme des chiens, dévoreront les miettes de leur table.

Ces propos ne restèrent point secrets; ils furent publiés dans le faubourg et les maîtres craignirent qu'Ahmès n'excitât les esclaves à la révolte. Le cabaretier en ressentit une rancune profonde qu'il dissimula soigneusemeut.

Un jour, une salière d'argent, réservée à la nappe des dieux, disparut du cabaret. Ahmès fut accusé de l'avoir volée, en haine de son maître et des dieux de l'empire. L'accusation était sans preuves et l'esclave la repoussait de toutes ses forces. Il n'en fut pas moins traîné devant le tribunal et, comme il passait pour un mauvais serviteur, le juge le condamna au dernier supplice.

— Tes mains, lui dit-il, dont tu n'as pas su faire un bon usage, seront clouées au poteau.

Ahmès écouta paisiblement cet arrêt, salua le juge avec beaucoup de respect et fut conduit à la prison publique. Durant les trois jours qu'il y resta, il ne cessa de prêcher l'Évangile aux prisonniers et l'on a conté depuis que des criminels et le geôlier lui-même, touchés par ses paroles, avaient cru en Jésus crucifié.

On le conduisit à ce carrefour qu'une nuit, moins de deux ans auparavant, il avait traversé avec allégresse, portant dans son manteau blanc la petite Thaïs, la fille de son âme, sa fleur bien-aimée. Attaché sur la croix, les mains clouées, il ne poussa pas une plainte; seulement il soupira à plusieurs reprises : « J'ai soif! »

Son supplice dura trois jours et trois nuits. On n'aurait pas cru la chair humaine capable d'endurer une si longue torture. Plusieurs fois on pensa qu'il était mort ; les mouches dévoraient la cire de ses paupières ; mais tout à coup il rouvrait ses yeux sanglants. Le matin du quatrième jour, il chanta d'une voix plus pure que la voix des enfants :

— Dis-nous, Marie, qu'as-tu vu là d'où tu viens?

Puis il sourit, et dit :

— Les voici, les anges du bon Seigneur ! Ils m'apportent du vin et des fruits. Qu'il est frais le battement de leurs ailes.

Et il expira.

Son visage conservait dans la mort l'expression de l'extase bienheureuse. Les soldats qui gardaient le gibet furent saisis d'admiration. Vivantius, accompagné de quelques-uns de ses frères chrétiens, vint réclamer le corps pour l'ensevelir, parmi les reliques des martyrs, dans la crypte de saint Jean le Baptiste. Et l'Église garda la mémoire vénérée de saint Théodore le Nubien.

Trois ans plus tard, Constantin, vainqueur de Maxence, publia un édit par lequel il assurait la paix aux chrétiens, et désormais les fidèles ne furent plus persécutés que par les hérétiques.

Thaïs achevait sa onzième année, quand son ami mourut dans les tourments. Elle en ressentit une tristesse et une épouvante invincibles. Elle n'avait pas l'âme assez pure pour comprendre que l'esclave Ahmès, par sa vie et sa mort, était un bienheureux. Cette idée germa dans sa petite âme, qu'il n'est possible d'être bon en ce monde qu'au prix des plus affreuses souffrances. Et elle craignit d'être bonne, car sa chair délicate redoutait la douleur.

Elle se donna avant l'âge à des jeunes garçons du port et elle suivit les vieillards qui errent le soir dans les faubourg; et avec ce qu'elle recevait d'eux elle achetait des gâteaux et des parures.

Comme elle ne rapportait à la maison rien de ce qu'elle avait gagné, sa mère l'accablait de mauvais traitements. Pour éviter les coups, elle courait pieds nus jusqu'aux remparts de la ville et se cachait avec les lézards dans les fentes des pierres. Là, elle songeait, pleine d'envie, aux femmes qu'elle voyait passer, richement parées, dans leur litière entourée d'esclaves.

Un jour que, frappée plus rudement que de coutume, elle se tenait accroupie devant la porte, dans une immobilité farouche, une vieille femme s'arrêta devant elle, la considéra quelques instants en silence, puis s'écria :

— O la jolie fleur, la belle enfant! Heureux le père qui t'engendra et la mère qui te mit au monde !

Thaïs restait muette et tenait ses regards fixés vers la terre. Ses paupières étaient rouges et l'on voyait qu'elle avait pleuré.

— Ma violette blanche, reprit la vieille, ta mère n'est-elle pas heureuse d'avoir nourri une petite déesse telle que toi, et ton père, en te voyant, ne se réjouit-il pas dans le fond de son cœur?

Alors l'enfant, comme se parlant à elle-même :

— Mon père est une outre gonflée de vin et ma mère une sangsue avide.

La vieille regarda à droite et à gauche si on ne la voyait pas. Puis d'une voix caressante :

— Douce hyacinthe fleurie, belle buveuse de lumière, viens avec moi et tu n'auras, pour vivre, qu'à danser et à sourire. Je te nourrirai de gâteaux de miel, et mon fils, mon propre fils t'aimera comme ses yeux. Il est beau, mon fils, il est jeune; il n'a au menton qu'une barbe légère ; sa peau est douce, et c'est, comme on dit, un petit cochon d'Acharné.

Thaïs répondit :

— Je veux bien aller avec toi.

Et, s'étant levée, elle suivit la vieille hors de la ville.

Cette femme, nommée Mœroé, conduisait de pays en pays des filles et des jeunes garçons qu'elle instruisait dans la danse et qu'elle louait ensuite aux riches pour paraître dans les festins.

Devinant que Thaïs deviendrait bientôt la plus belle des femmes, elle lui apprit, à coups de fouet, la musique et la prosodie, et elle flagellait avec des lanières de cuir ces jambes divines, quand elles ne se levaient pas en mesure au son de la cithare. Son fils, avorton décrépit, sans âge et sans sexe, accablait de mauvais traitements cette enfant en qui il poursuivait de sa haine la race entière des femmes. Rival des ballerines, dont il affectait la grâce, il enseignait à Thaïs l'art de feindre, dans les pantomimes, par l'expression du visage, le geste et l'attitude, tous les sentiments humains et surtout les passions de l'amour. Il lui donnait avec dégoût les conseils d'un maître habile; mais, jaloux de son élève, il lui griffait les joues, lui pinçait le bras ou la venait piquer par derrière avec un poinçon, à la manière des filles méchantes, dès qu'il s'apercevait trop vivement qu'elle était née pour la volupté des hommes. Grâce à ses leçons, elle devint en peu de temps musicienne, mime et danseuse excellente. La méchanceté de ses maîtres ne la surprenait point et il lui semblait naturel d'être indignement traitée. Elle éprouvait même quelque respect pour cette vieille femme qui savait la musique et buvait du vin grec. Mœroé, s'étant arrêtée à Antioche, loua son élève comme danseuse et comme joueuse de flûte aux riches négociants de la ville qui donnaient des festins. Thaïs dansa et plut. Les plus gros banquiers l'emmenaient, au sortir de table, dans les bosquets de l'Oronte. Elle se donnait à tous, ne sachant pas le prix de l'amour. Mais une nuit qu'elle avait dansé devant les jeunes hommes les plus élégants de la ville, le fils du proconsul s'approcha d'elle, tout brillant de jeunesse et de volupté, et lui dit d'une voix qui semblait mouillée de baisers :

— Que ne suis-je, Thaïs, la couronne qui ceint ta chevelure, la tunique qui presse ton corps charmant, la sandale de ton beau pied ! Mais je veux que tu me foules à tes pieds comme une sandale ; je veux que mes caresses soient ta tunique et ta couronne. Viens, belle enfant, viens dans ma maison et oublions l'univers.

Elle le regarda tandis qu'il parlait et elle vit qu il était beau. Soudain elle sentit la sueur qui lui glaçait le front; elle devint verte comme l'herbe; elle chancela ; un nuage descendit sur ses paupières. Il la priait encore. Mais elle refusa de le suivre. En vain, il lui jeta des regards ardents, des paroles enflammées, et quand il la prit dans ses bras en s'efforçant de l'entraîner, elle le repoussa avec rudesse. Alors il se fit suppliant et lui montra ses larmes. Sous l'empire d'une force nouvelle, inconnue, invincible, elle résista.

— Quelle folie ! disaient les convives. Lollius est noble ; il est beau, il est riche, et voici qu'une joueuse de flûte le dédaigne !

Lollius rentra seul dans sa maison et la nuit l'embrasa tout entier d'amour. Il vint dès le matin, pâle et les yeux rouges, suspendre des fleurs à la porte de la joueuse de flûte. Cependant Thaïs, saisie de trouble et d'effroi, fuyait Lollius et le voyait sans cesse au dedans d'elle-même. Elle souffrait et ne connaissait pas son mal. Elle se demandait pourquoi elle était ainsi changée et d'où lui venait sa mélancolie. Elle repoussait tous ses amants : ils lui faisaient horreur. Elle ne voulait plus voir la lumière et restait tout le jour couchée sur son lit, sanglotant la tête dans les coussins. Lollius, ayant su forcer la porte de Thaïs, vint plusieurs fois supplier et maudire cette méchante enfant. Elle restait devant lui craintive comme une vierge et répétait :

— Je ne veux pas ! Je ne veux pas !

Puis, au bout de quinze jours, s'étant donnée à lui, elle connut qu'elle l'aimait ; elle le suivit dans sa maison et ne le quitta plus. Ce fut une vie délicieuse. Ils passaient tout le jour enfermés, les yeux dans les yeux, se disant l'un à l'autre des paroles qu'on ne dit qu'aux enfants. Le soir, ils se promenaient sur les bords solitaires de l'Oronte et se perdaient dans les bois de lauriers. Parfois ils se levaient dès l'aube pour aller cueillir des jacinthes sur les pentes du Silpicus. Ils buvaient dans la même coupe, et, quand elle portait un grain de raisin à sa bouche, il le lui prenait entre les lèvres avec ses dents.

Mœroé vint chez Lollius réclamer Thaïs à grands cris :

— C'est ma fille, disait-elle, ma fille qu'on m'arrache, ma fleur parfumée, mes petites entrailles!...

Lollius la renvoya avec une grosse somme d'argent. Mais, comme elle revint demandant encore quelques staters d'or, le jeune homme la fit mettre en prison, et les magistrats, ayant découvert plusieurs crimes dont elle s'était rendue coupable, elle fut condamnée à mort et livrée aux bêtes.

Thaïs aimait Lollius avec toutes les fureurs de l'imagination et toutes les surprises de l'innocence. Elle lui disait dans toute la vérité de son cœur :

— Je n'ai jamais été qu'à toi.

Lollius lui répondait :

— Tu ne ressembles à aucune autre femme.

Le charme dura six mois et se rompit en un jour. Soudainement Thaïs se sentit vide et seule. Elle ne reconnaissait plus Lollius ; elle songeait :

— Qui me l'a ainsi changé en un instant? Comment se fait-il qu'il ressemble désormais à tous les autres hommes et qu'il ne ressemble plus à lui-même?

Elle le quitta, non sans un secret désir de chercher Lollius en un autre, puisqu'elle ne le retrouvait plus en lui. Elle songeait aussi que vivre avec un homme qu'elle n'aurait jamais aimé serait moins triste que de vivre avec un homme qu'elle n'aimait plus. Elle se montra, en compagnie des riches voluptueux, à ces fêtes sacrées où l'on voyait des chœurs de vierges nues dansant dans les temples et des troupes de courtisanes traversant l'Oronte à la nage. Elle prit sa part de tous les plaisirs qu'étalait la ville élégante et monstrueuse ; surtout elle fréquenta assidûment les théâtres, dans lesquels des mimes habiles, venus de tous les pays, paraissaient aux applaudissements d'une foule avide de spectacles.

Elle observait avec soin les mimes, les danseurs, les comédiens et particulièrement les femmes qui, dans les tragédies, représentaient les déesses amantes des jeunes hommes et les mortelles aimées des dieux. Ayant surpris les secrets par lesquels elles charmaient la foule, elle se dit que, plus belle, elle jouerait mieux encore. Elle alla trouver le chef des mimes et lui demanda d'être admise dans sa troupe. Grâce à sa beauté et aux leçons de la vieille Mœroé, elle fut accueillie et parut sur la scène dans le personnage de Dircé.

Elle plut médiocrement, parce qu'elle manquait d'expérience et aussi parce que les spectateurs n'étaient pas excités à l'admiration par un long bruit de louanges. Mais après quelques mois d'obscurs débuts, la puissance de sa beauté éclata sur la scène avec une telle force, que la ville entière s'en émut. Tout Antioche s'étouffait au théâtre. Les magistrats impériaux et les premiers citoyens s'y rendaient, poussés par la force de l'opinion. Les portefaix, les balayeurs et les ouvriers du port se privaient d'ail et de pain pour payer leur place. Les poètes composaient des épigrammes en son honneur. Les philosophes barbus déclamaient contre elle dans les bains et dans les gymnases; sur le passage de sa litière, les prêtres des chrétiens détournaient la tête. Le seuil de sa maison était couronné de fleurs et arrosé de sang. Elle recevait de ses amants de l'or, non plus compté, mais mesuré au médimne, et tous les trésors amassés par les vieillards économes venaient, comme des fleuves, se perdre à ses pieds. C'est pourquoi son âme était sereine. Elle se réjouissait dans un paisible orgueil de la faveur publique et de la bonté des dieux, et, tant aimée, elle s'aimait elle-même.

Après avoir joui pendant plusieurs années de l'admiration et de l'amour des Antiochiens, elle fut prise du désir de revoir Alexandrie et de montrer sa gloire à la ville dans laquelle, enfant, elle errait sous la misère et la honte, affamée et maigre comme une sauterelle au milieu d'un chemin poudreux. La ville d'or la reçut avec joie et la combla de nouvelles richesses. Quand elle parut dans les jeux, ce fut un triomphe. Il lui vint des admirateurs et des amants innombrables. Elle les accueillait indifféremment, car elle désespérait enfin de retrouver Lollius.

Elle reçut parmi tant d'autres le philosophe Nicias qui la désirait, bien qu'il fît profession de vivre sans désirs. Malgré sa richesse, il était intelligent et doux; mais il ne la charma ni par la finesse de son esprit, ni par la grâce de ses sentiments. Elle ne l'aimait pas et même elle s'irritait parfois de ses élégantes ironies. Il la blessait par son doute perpétuel. C'est qu'il ne croyait à rien et qu'elle croyait à tout. Elle croyait à la providence divine, à la toute-puissance des mauvais esprits, aux sorts, aux conjurations, à la justice éternelle. Elle croyait en Jésus-Chrit et en la bonne déesse des Syriens; elle croyait encore que les chiennes aboient quand la sombre Hécate passe dans les carrefours et qu'une femme inspire l'amour en versant un philtre dans une coupe qu'enveloppe la toison sanglante d'une brebis. Elle avait soif d'inconnu; elle appelait des êtres sans nom et vivait dans une attente perpétuelle. L'avenir lui faisait peur et elle voulait le connaître. Elle s'entourait de prêtres d'Isis, de mages chaldéens, de pharmacopoles et de sorciers, qui la trompaient toujours et ne la lassaient jamais. Elle craignait la mort et la voyait partout. Quand elle cédait à la volupté, il lui semblait tout à coup qu'un doigt glacé touchait son épaule nue et, toute pâle, elle criait d'épouvante dans les bras qui la pressaient.

Nicias lui disait :

— Que notre destinée soit de descendre en cheveux blancs et les joues creuses dans la nuit éternelle, ou que ce jour même, qui rit maintenant dans le vaste ciel, soit notre dernier jour, qu'importe, ô ma Thaïs! Goûtons la vie. Nous aurons beaucoup vécu si nous avons beaucoup senti. Il n'est pas d'autre intelligence que celle des sens : aimer c'est comprendre. Ce que nous ignorons n'est pas. A quoi bon nous tourmenter pour un néant?

Elle lui répondait avec colère :

— Je méprise ceux qui comme toi n'espèrent ni ne craignent rien. Je veux savoir! Je veux savoir!

Pour connaître le secret de la vie, elle se mit à lire les livres des philosophes, mais elle ne les comprit pas. A mesure que les années de son enfance s'éloignaient d'elle, elle les rappelait dans son esprit plus volontiers. Elle aimait à parcourir, le soir, sous un déguisement, les ruelles, les chemins de ronde, les places publiques où elle avait misérablement grandi. Elle regrettait d'avoir perdu ses parents et surtout de n'avoir pu les aimer. Quand elle rencontrait des prêtres chrétiens, elle songeait à son baptême et se sentait troublée. Une nuit, qu'enveloppée d'un long manteau et ses blonds cheveux cachés sous un capuchon sombre, elle errait dans les faubourgs de la ville, elle se trouva, sans savoir comment elle y était venue, devant la pauvre église de Saint-Jean-le-Baptiste. Elle entendit qu'on chantait dans l'intérieur et vit une lumière éclatante qui glissait par les fentes de la porte. Il n'y avait là rien d'étrange, puisque depuis vingt ans les chrétiens, protégés par le vainqueur de Maxence, solennisaient publiquement leurs fêtes. Mais ces chants signifiaient un ardent appel aux âmes. Comme conviée aux mystères, la comédienne, poussant du bras la porte, entra dans la maison. Elle trouva là une nombreuse assemblée, des femmes, des enfants, des vieillards à genoux devant un tombeau adossé à la muraille. Ce tombeau n'était qu'une cuve de pierre grossièrement sculptée de pampres et de grappes de raisins; pourtant il avait reçu de grands honneurs : il était couvert de palmes vertes et de couronnes de roses rouges. Tout autour, d'innombrables lumières étoilaient l'ombre dans laquelle la fumée des gommes d'Arabie semblait les plis des voiles des anges. Et l'on devinait sur les murs des figures pareilles à des visions du ciel. Des prêtres vêtus de blanc se tenaient prosternés au pied du sarcophage. Les hymnes qu'ils chantaient avec le peuple exprimaient les délices de la souffrance et mêlaient, dans un deuil triomphal, tant d'allégresse à tant de douleur que Thaïs, en les écoutant, sentait les voluptés de la vie et les affres de la mort couler à la fois dans ses sens renouvelés.

Quand ils eurent fini de chanter, les fidèles se levèrent pour aller baiser à la file la paroi du tombeau. C'était des hommes simples, accoutumés à travailler de leurs mains. Ils s'avançaient d'un pas lourd, l'œil fixe, la bouche pendante, avec un air de candeur. Ils s'agenouillaient, chacun à son tour, devant le sarcophage et y appuyaient leurs lèvres. Les femmes élevaient dans leurs bras les petits enfants et leur posaient doucement la joue contre la pierre.

Thaïs, surprise et troublée, demanda à un diacre pourquoi ils faisaient ainsi.

— Ne sais-tu pas, femme, lui répondit le diacre, que nous célébrons aujourd'hui la mémoire bienheureuse de saint Théodore le Nubien, qui souffrit pour la foi au temps de Dioclétien empereur ? Il vécut chaste et mourut martyr, c'est pourquoi, vêtus de blanc, nous portons des roses rouges à son tombeau glorieux.

En entendant ces paroles, Thaïs tomba à genoux et fondit en larmes. Le souvenir à demi éteint d'Ahmès se ranimait dans son âme. Sur cette mémoire obscure, douce et douloureuse, l'éclat des cierges, le parfum des roses, les nuées de l'encens, l'harmonie des cantiques, la piété des âmes jetaient les charmes de la gloire. Thaïs songeait dans l'éblouissement :

Il était humble et voici qu'il est grand et qu'il est beau ! Comment s'est-il élevé au-dessus des hommes? Quelle est donc cette chose inconnue qui vaut mieux que la richesse et que la volupté?

Elle se leva lentement, tourna vers la tombe du saint qui l'avait aimée ses yeux de violette où brillaient des larmes à la clarté des cierges; puis, la tête baissée, humble, lente, la dernière, de ses lèvres où tant de désirs s'étaient suspendus, elle baisa la pierre de l'esclave.

Rentrée dans sa maison, elle y trouva Nicias qui, la chevelure parfumée et la tunique déliée, l'attendait en lisant un traité de morale. Il s'avança vers elle les bras ouverts.

— Méchante Thaïs, lui dit-il d'une voix riante, tandis que tu tardais à venir, sais-tu ce que je voyais dans ce manuscrit dicté par le plus grave des stoïciens? Des préceptes vertueux et de fières maximes? Non! Sur l'austère papyrus, je voyais danser mille et mille petites Thaïs. Elles avaient chacune la hauteur d'un doigt, et pourtant leur grâce était infinie et toutes étaient l'unique Thaïs. Il y en avait qui traînaient des manteaux de pourpre et d'or; d'autres, semblables à une nuée blanche, flottaient dans l'air sous des voiles diaphanes.

D'autres encore, immobiles et divinement nues, pour mieux inspirer la volupté, n'exprimaient aucune pensée. Enfin, il y en avait deux qui se tenaient par la main, deux si pareilles, qu'il était impossible de les distinguer l'une de l'autre. Elles souriaient toutes deux. La première disait : « Je suis l'amour. » L'autre : « Je suis la mort. »

En parlant ainsi, il pressait Thaïs dans ses bras, et, ne voyant pas le regard farouche qu'elle fixait à terre, il ajoutait les pensées aux pensées, sans souci qu'elles fussent perdues :

— Oui, quand j'avais sous les yeux la ligne où il est écrit : « Rien ne doit te détourner de cultiver ton âme, » je lisais : « Les baisers de Thaïs sont plus ardents que la flamme et plus doux que le miel. » Voilà comment, par ta faute, méchante enfant, un philosophe comprend aujourd'hui les livres des philosophes. Il est vrai que, tous tant que nous sommes, nous ne découvrons que notre propre pensée dans la pensée d'autrui, et que tous nous lisons un peu les livres comme je viens de lire celui-ci...

Elle ne l'écoutait pas, et son âme était encore devant le tombeau du Nubien. Comme il l'entendit soupirer, il lui mit un baiser sur la nuque et il lui dit :

— Ne sois pas triste, mon enfant. On n'est heureux au monde que quand on oublie le monde. Nous avons des secrets pour cela. Viens ; trompons la vie : elle nous le rendra bien. Viens ; aimons-nous.

Mais elle le repoussa :

— Nous aimer ! s'écria-t-elle amèrement. Mais tu n'as jamais aimé personne, toi ! Et je ne t'aime pas ! Non ! je ne t'aime pas ! Je te hais. Va-t'en ! Je te hais. J'exècre et je méprise tous les heureux et tous les riches. Va-t'en ! va-t'en !... Il n'y a de bonté que chez les malheureux. Quand j'étais enfant, j'ai connu un esclave noir qui est mort sur la croix. Il était bon ; il était plein d'amour et il possédait le secret de la vie. Tu ne serais pas digne de lui laver les pieds. Va-t'en ! Je ne veux plus te voir.

Elle s'étendit à plat ventre sur le tapis et passa la nuit à sangloter, formant le dessein de vivre désormais, comme saint Théodore, dans la pauvreté et dans la simplicité.

Dès le lendemain, elle se rejeta dans les plaisirs auxquels elle était vouée. Comme elle savait que sa beauté, encore intacte, ne durerait plus longtemps, elle se hâtait d'en tirer toute joie et toute gloire. Au théâtre, où elle se montrait avec plus d'étude que jamais, elle rendait vivantes les imaginations des sculpteurs, des peintres et des poètes. Reconnaissant dans les formes, dans les attitudes, dans les mouvements, dans la démarche de la comédienne une idée de la divine harmonie qui règle les mondes, savants et philosophes mettaient une grâce si parfaite au rang des vertus et disaient : « Elle aussi, Thaïs, est géomètre ! « Les ignorants, les pauvres, les humbles, les timides, devant lesquels elle consentait à paraître, l'en bénissaient comme d'une charité céleste. Pourtant, elle était triste au milieu des louanges et, plus que jamais, elle craignait de mourir. Rien ne pouvait la distraire de son inquiétude, pas même sa maison et ses jardins qui étaient célèbres et sur lesquels on faisait des proverbes dans la ville.

Elle avait fait planter des arbres apportés à grands frais de l'Inde et de la Perse. Une eau vive les arrosait en chantant et des colonnades en ruines, des rochers sauvages, imités par un habile architecte, étaient reflétés dans un lac où se miraient des statues. Au milieu du jardin, s'élevait la grotte des Nymphes, qui devait son nom à trois grandes figures de femmes, en marbre peint avec art, qu'on rencontrait dès le seuil. Ces femmes se dépouillaient de leurs vêtements pour prendre un bain. Inquiètes, elles tournaient la tête, craignant d'être vues, et elles semblaient vivantes. La lumière ne parvenait dans cette retraite qu'à travers de minces nappes d'eau qui l'adoucissaient et l'irisaient. Aux parois pendaient de toutes parts, comme dans les grottes sacrées, des couronnes, des guirlandes et des tableaux votifs, dans lesquels la beauté de Thaïs était célébrée. Il s'y trouvait aussi des masques tragiques et des masques comiques revêtus de vives couleurs, des peintures représentant ou des scènes de théâtre, ou des figures grotesques, ou des animaux fabuleux. Au milieu, se dressait sur une stèle un petit Éros d'ivoire, d'un antique et merveilleux travail. C'était un don de Nicias. Une chèvre de marbre noir se tenait dans une excavation, et l'on voyait briller ses yeux d'agate. Six chevreaux d'albâtre se pressaient autour de ses mamelles ;

mais, soulevant ses pieds fourchus et sa tête camuse, elle semblait impatiente de grimper sur les rochers. Le sol était couvert de tapis de Byzance, d'oreillers brodés par les hommes jaunes de Cathay et de peaux de lions lybiques. Des cassolettes d'or y fumaient imperceptiblement. Çà et là, au-dessus des grands vases d'onyx, s'élançaient des perséas fleuris. Et, tout au fond, dans l'ombre et dans la pourpre, luisaient des clous d'or sur l'écaille d'une tortue géante de l'Inde, qui renversée servait de lit à la comédienne. C'est là que chaque jour, au murmure des eaux, parmi les parfums et les fleurs, Thaïs, mollement couchée, attendait l'heure de souper en conversant avec ses amis ou en songeant seule, soit aux artifices du théâtre, soit à la fuite des années.

Or, ce jour-là, elle se reposait après les jeux dans la grotte des Nymphes. Elle épiait dans son miroir les premiers déclins de sa beauté et pensait avec épouvante que le temps viendrait enfin des cheveux blancs et des rides. En vain elle cherchait à se rassurer, en se disant qu'il suffit, pour recouvrer la fraîcheur du teint, de brûler certaines herbes en prononçant des formules magiques. Une voix impitoyable lui criait : « Tu vieilliras, Thaïs, tu vieilliras ! » Et la sueur de l'épouvante lui glaçait le front. Puis, se regardant de nouveau dans le miroir avec une tendresse infinie, elle se trouvait belle encore et digne d'être aimée. Se souriant à elle-même, elle murmurait : « Il n'y a pas dans Alexandrie une seule femme qui puisse lutter avec moi pour la souplesse de la taille, la grâce des mouvements et la magnificence des bras, et les bras, ô mon miroir, ce sont les vraies chaînes de l'amour ! »

Comme elle songeait ainsi, elle vit un inconnu debout devant elle, maigre, les yeux ardents, la barbe inculte et vêtu d'une robe richement brodée. Laissant tomber son miroir, elle poussa un cri d'effroi.

Paphnuce se tenait immobile et, voyant combien elle était belle, il faisait du fond du cœur cette prière :

— Fais, ô mon Dieu, que le visage de cette femme, loin de me scandaliser, édifie ton serviteur.

Puis, s'efforçant de parler, il dit :

— Thaïs, j'habite une contrée lointaine et le

renom de ta beauté m'a conduit jusqu'à toi. On rapporte que tu es la plus habile des comédiennes et la plus irrésistible des femmes. Ce que l'on conte de tes richesses et de tes amours semble fabuleux et rappelle l'antique Rhodopis, dont tous les bateliers du Nil savent par cœur l'histoire merveilleuse. C'est pourquoi j'ai été pris du désir de te connaître et je vois que la vérité passe la renommée. Tu es mille fois plus savante et plus belle qu'on ne le publie. Et maintenant que je te vois, je me dis : « Il est impossible d'approcher d'elle sans chanceler comme un homme ivre. »

Ces paroles étaient feintes; mais le moine, animé d'un zèle pieux, les répandait avec une ardeur véritable. Cependant, Thaïs regardait sans déplaisir cet être étrange qui lui avait fait peur. Par son aspect rude et sauvage, par le feu sombre qui chargeait ses regards, Paphnuce l'étonnait. Elle était curieuse de connaître l'état et la vie d'un homme si différent de tous ceux qu'elle connaissait. Elle lui répondit avec une douce raillerie :

— Tu sembles prompt à l'admiration, étranger. Prends garde que mes regards ne te consument jusqu'aux os! Prends garde de m'aimer!

Il lui dit :

— Je t'aime, ô Thaïs! Je t'aime plus que ma vie et plus que moi-même. Pour toi, j'ai quitté mon désert regrettable; pour toi, mes lèvres, vouées au silence, ont prononcé des paroles profanes ; pour toi, j'ai vu ce que je ne devais pas voir, j'ai entendu ce qu'il m'était interdit d'entendre ; pour toi, mon âme s'est troublée, mon cœur s'est ouvert et des pensées en ont jailli, semblables aux sources vives où boivent les colombes ; pour toi, j'ai marché jour et nuit à travers des sables peuplés de larves et de vampires; pour toi, j'ai posé mon pied nu sur les vipères et les scorpions! Oui, je t'aime! Je t'aime, non point à l'exemple de ces hommes qui, tout enflammés du désir de la chair, viennent à toi comme des loups dévorants ou des taureaux furieux. Tu es chère à ceux-là comme la gazelle au lion. Leurs amours carnassières te dévorent jusqu'à l'âme, ô femme! Moi, je t'aime en esprit et en vérité, je t'aime en Dieu et pour les siècles des siècles; ce que j'ai pour toi dans mon sein se nomme ardeur véritable et divine charité. Je te promets mieux qu'ivresse fleurie et que songes d'une nuit brève. Je te promets de saintes agapes et des noces célestes. La félicité que je t'apporte ne finira jamais; elle est inouïe; elle est ineffable et telle que, si les heureux de ce monde en pouvaient seulement entrevoir une ombre, ils mourraient aussitôt d'étonnement.

Thaïs, riant d'un air mutin :

— Ami, dit-elle, montre-moi donc un si merveilleux amour. Hâte-toi! de trop longs discours offenseraient ma beauté, ne perdons pas un moment. Je suis impatiente de connaître la félicité que tu m'annonces; mais, à vrai dire, je crains de l'ignorer toujours et que tout ce que tu me promets ne s'évanouisse en paroles. Il est plus facile de promettre un grand bonheur que de le donner. Chacun a son talent. Je crois que le tien est de discourir. Tu parles d'un amour inconnu. Depuis si longtemps qu'on se donne des baisers, il serait bien extraordinaire qu'il restât encore des secrets d'amour. Sur ce sujet, les amants en savent plus que les mages.

— Thaïs, ne raille point. Je t'apporte l'amour inconnu.

— Ami, tu viens tard. Je connais tous les amours.

— L'amour que je t'apporte est plein de gloire, tandis que les amours que tu connais n'enfantent que la honte.

Thaïs le regarda d'un œil sombre; un pli dur traversait son petit front :

— Tu es bien hardi, étranger, d'offenser ton hôtesse. Regarde-moi et dis si je ressemble à une créature accablée d'opprobre. Non! je n'ai pas honte, et toutes celles qui vivent comme je fais n'ont pas de honte non plus, bien qu'elles soient moins belles et moins riches que moi. J'ai semé la volupté sur tous mes pas, et c'est par là que je suis célèbre dans tout l'univers. J'ai plus de puissance que les maîtres du monde. Je les ai vus à mes pieds. Regarde-moi, regarde ces petits pieds : des milliers d'hommes paieraient de leur sang le bonheur de les baiser. Je ne suis pas bien grande et ne tiens pas beaucoup de place sur la terre. Pour ceux qui me voient du haut du Serapeum, quand je passe dans la rue, je ressemble à un grain de riz; mais ce grain de riz causa parmi les hommes des deuils, des désespoirs et des haines et des crimes à remplir le Tartare. N'es-tu pas fou de me parler de honte, quand tout crie la gloire autour de moi?

— Ce qui est gloire aux yeux des hommes est infamie devant Dieu. O femme, nous avons été nourris dans des contrées si différentes qu'il n'est pas surprenant que nous n'ayons ni le même langage ni la même pensée. Pourtant, le ciel m'est témoin que je veux m'accorder avec toi et que mon dessein est de ne pas te quitter que nous n'ayons les mêmes sentiments. Qui m'inspirera des discours embrasés pour que tu fondes comme la cire à mon souffle, ô femme, et que les doigts de mes désirs puissent te modeler à leur gré? Quelle vertu te livrera à moi, ô la plus chère des âmes, afin que l'esprit qui m'anime, te créant une seconde fois, t'imprime une beauté nouvelle et que tu t'écries en pleurant de joie : « C'est seulement d'aujourd'hui que je suis née! » Qui fera jaillir de mon cœur une fontaine de Siloé, dans laquelle tu retrouves, en te baignant, ta pureté première? Qui me changera en un Jourdain, dont les ondes, répandues sur toi, te donneront la vie éternelle?

Thaïs n'était plus irritée.

— Cet homme, pensait-elle, parle de vie éternelle et tout ce qu'il dit semble écrit sur un talisman. Nul doute que ce ne soit un mage et qu'il n'ait des secrets contre la vieillesse et la mort.

Et elle résolut de s'offrir à lui. C'est pourquoi, feignant de le craindre, elle s'éloigna de quelques pas et, gagnant le fond de la grotte, elle s'assit au bord du lit, ramena avec art sa tunique sur sa poitrine, puis, immobile, muette, les paupières baissées, elle attendit. Ses longs cils faisaient une ombre douce sur ses joues. Toute son attitude exprimait la pudeur; ses pieds nus se balançaient mollement et elle ressemblait à une enfant qui songe, assise au bord d'une rivière.

Mais Paphnuce la regardait et ne bougeait pas. Ses genoux tremblants ne le portaient plus, sa langue s'était subitement desséchée dans sa bouche; un tumulte effrayant s'élevait dans sa tête. Tout à coup son regard se voila et il ne vit plus devant lui qu'un nuage épais.

Il pensa que la main de Jésus s'était posée sur ses yeux pour lui cacher cette femme. Rassuré par un tel secours, raffermi, fortifié, il dit avec une gravité digne d'un ancien du désert :

— Si tu te livres à moi, crois-tu donc être cachée à Dieu?

Elle secoua la tête.

— Dieu! Qui le force à toujours avoir l'œil sur la grotte des Nymphes? Qu'il se retire si nous l'offensons! Mais pourquoi l'offenserions-nous? Puisqu'il nous a créés, il ne peut être ni fâché ni surpris de nous voir tels qu'il nous a faits et agissant selon la nature qu'il nous a donnée. On parle beaucoup trop pour lui et on lui prête bien souvent des idées qu'il n'a jamais eues. Toi-même, étranger, connais-tu bien son véritable caractère? Qui es-tu pour me parler en son nom?

A cette question, le moine, entr'ouvrant sa robe d'emprunt, montra son cilice et dit :

— Je suis Paphnuce, abbé d'Antinoé, et je viens du saint désert. La main qui retira Abraham de Chaldée et Loth de Sodome m'a séparé du siècle. Je n'existais déjà plus pour les hommes. Mais ton image m'est apparue dans ma Jérusalem des sables et j'ai connu que tu étais pleine de corruption et qu'en toi était la mort. Et me voici devant toi, femme, comme devant un sépulcre et je te crie : « Thaïs, lève-toi. »

Aux noms de Paphnuce, de moine et d'abbé elle avait pâli d'épouvante. Et la voilà qui, les cheveux épars, les mains jointes, pleurant et gémissant, se traîne aux pieds du saint :

— Ne me fais pas de mal ! Pourquoi es-tu venu ? que me veux-tu ? Ne me fais pas de mal ! Je sais que les saints du désert détestent les femmes qui, comme moi, sont faites pour plaire. J'ai peur que tu ne me haïsses et que tu ne veuilles me nuire. Va ! je ne doute pas de ta puissance. Mais sache, Paphnuce, qu'il ne faut ni me mépriser ni me haïr. Je n'ai jamais, comme tant d'hommes que je fréquente, raillé ta pauvreté volontaire. A ton tour, ne me fais pas un crime de ma richesse. Je suis belle et habile aux jeux. Je n'ai pas plus choisi ma con dition que ma nature. J'étais faite pour ce que je fais. Je suis née pour charmer les hommes. Et, toi-même, tout à l'heure, tu disais que tu m'aimais. N'use pas de ta science contre moi.

Ne prononce pas des paroles magiques qui détruiraient ma beauté ou me changeraient en une statue de sel. Ne me fais pas peur! je ne suis déjà que trop effrayée. Ne me fais pas mourir! je crains tant la mort.

Il lui fit signe de se relever et dit :

— Enfant, rassure-toi. Je ne te jetterai pas l'opprobre et le mépris. Je viens à toi de la part de Celui qui, s'étant assis au bord du puits, but à l'urne que lui tendait la Samaritaine et qui, lorsqu'il soupait au logis de Simon, reçut les parfums de Marie. Je ne suis pas sans péché pour te jeter la première pierre. J'ai souvent mal employé les grâces abondantes que Dieu a répandues sur moi. Ce n'est pas la Colère, c'est la Pitié qui m'a pris par la main pour me conduire ici. J'ai pu sans mentir t'aborder avec des paroles d'amour, car c'est le zèle du cœur qui m'amène à toi. Je brûle du feu de la charité et, si tes yeux, accoutumés aux spectacles grossiers de la chair, pouvaient voir les choses sous leur aspect mystique, je t'apparaîtrais comme un rameau détaché de ce buisson ardent que le Seigneur montra sur la montagne à l'antique Moïse, pour lui faire comprendre le véritable amour, celui qui nous embrase sans nous consumer et qui, loin de laisser après lui des charbons et de vaines cendres, embaume et parfume pour l'éternité tout ce qu'il pénètre.

— Moine, je te crois et je ne crains plus de de toi ni embûche ni maléfice. J'ai souvent entendu parler des solitaires de la Thébaïde. Ce que l'on m'a conté de la vie d'Antoine et de Paul est merveilleux. Ton nom ne m'était pas inconnu et l'on m'a dit que, jeune encore, tu égalais en vertu les plus vieux anachorètes. Dès que je t'ai vu, sans savoir qui tu étais, j'ai senti que tu n'étais pas un homme ordinaire. Dis-moi, pourras-tu pour moi ce que n'ont pu ni les prêtres d'Isis, ni ceux d'Hermès, ni ceux de la Junon Céleste, ni les devins de Chaldée, ni les mages babyloniens? Moine, si tu m'aimes, peux-tu m'empêcher de mourir?

— Femme, celui-là vivra qui veut vivre. Fuis les délices abominables où tu meurs à jamais. Arrache aux démons, qui le brûleraient horriblement, ce corps que Dieu pétrit de sa salive et anima de son souffle. Consumée de fatigue, viens te rafraîchir aux sources bénies de la solitude; viens boire à ces fontaines cachées dans le désert, qui jaillissent jusqu'au ciel. Ame anxieuse, viens posséder enfin ce que tu désirais ! Cœur avide de joie, viens goûter les joies véritables : la pauvreté, le renoncement, l'oubli de soi-même, l'abandon de tout l'être dans le sein de Dieu. Ennemie du Christ et demain sa bien-aimée, viens à lui. Viens ! toi qui cherchais, et tu diras : « J'ai trouvé l'amour ! »

Cependant Thaïs semblait contempler des choses lointaines :

— Moine, demanda-t-elle, si je renonce à mes plaisirs et si je fais pénitence, est-il vrai que je renaîtrai au ciel avec mon corps intact et dans toute sa beauté ?

— Thaïs, je t'apporte la vie éternelle. Crois-moi, car ce que j'annonce est la vérité.

— Et qui me garantit que c'est la vérité ?

— David et les prophètes, l'Écriture et les merveilles dont tu vas être témoin.

— Moine, je voudrais te croire. Car je t'avoue que je n'ai pas trouvé le bonheur en ce monde. Mon sort fut plus beau que celui d'une reine et cependant la vie m'a apporté bien des tristesses et bien des amertumes, et voici que je suis lasse infiniment. Toutes les femmes envient ma destinée, et il m'arrive parfois d'envier le sort de la vieille édentée qui, du temps que j'étais petite, vendait des gâteaux de miel sous une porte de la ville. C'est une idée qui m'est venue bien des fois, que seuls les pauvres sont bons, sont heureux, sont bénis, et qu'il y a une grande douceur à vivre humble et petit Moine, tu as remué les ondes de mon âme et fait monter à la surface ce qui dormait au fond. Qui croire, hélas! Et que devenir, et qu'est-ce que la vie?

Tandis qu'elle parlait de la sorte, Paphnuce était transfiguré ; une joie céleste inondait son visage :

— Écoute, dit-il, je ne suis pas entré seul dans ta demeure. Un Autre m'accompagnait, un Autre qui se tient ici debout à mon côté. Celui-là, tu ne peux le voir, parce que tes yeux sont encore indignes de le contempler ; mais bientôt tu le verras dans sa splendeur charmante et tu diras : « Il est seul aimable! » Tout à l'heure, s'il n'avait posé sa douce main sur mes yeux, ô Thaïs! je serais peut-être tombé avec toi dans le péché, car je ne suis par moi-même que faiblesse et que trouble. Mais il nous a sauvés tous deux; il est aussi bon qu'il est puissant et son nom est Sauveur. Il a été promis au monde par David et la Sibylle, adoré dans son berceau par les bergers et les mages, crucifié par les Pharisiens, enseveli par les saintes femmes, révélé au monde par les apôtres, attesté par les martyrs. Et le voici qui, ayant appris que tu crains la mort, ô femme! vient dans ta maison pour t'empêcher de mourir! N'est-ce pas, ô mon Jésus! que tu m'apparais en ce moment, comme tu apparus aux hommes de Galilée en ces jours merveilleux où les étoiles, descendues avec toi du ciel, étaient si près de la terre, que les saints Innocents pouvaient les saisir dans leurs mains, quand ils jouaient aux bras de leurs mères, sur les terrasses de Bethléem? N'est-ce pas, mon Jésus, que nous sommes en ta compagnie et que tu me montres la réalité de ton corps précieux? N'est-ce pas que c'est là ton visage et que cette larme qui coule sur ta joue est une larme véritable? Oui, l'ange de la justice éternelle la recueillera, et ce sera la rançon de l'âme de Thaïs. N'est-ce pas que te voilà, mon Jésus? Mon Jésus, tes lèvres adorables s'entr'ouvrent. Tu peux parler : parle, je t'écoute. Et toi, Thaïs, heureuse Thaïs! entends ce que le Sauveur vient lui-même te dire : c'est lui qui parle et non moi. Il dit : « Je t'ai cherchée longtemps, ô ma brebis égarée! Je te trouve enfin! Ne me fuis plus. Laisse-toi prendre par mes mains, pauvre petite, et je te porterai sur mes épaules jusqu'à la bergerie céleste. Viens, ma Thaïs, viens, mon élue, viens pleurer avec moi! »

Et Paphnuce tomba à genoux les yeux pleins d'extase. Alors Thaïs vit sur la face du saint le reflet de Jésus vivant.

— O jours envolés de mon enfance! dit-elle en sanglotant. O mon doux père Ahmès! bon saint Théodore, que ne suis-je morte dans ton manteau blanc tandis que tu m'emportais aux premières lueurs du matin, toute fraîche encore des eaux du baptême!

Paphnuce s'élança vers elle en s'écriant :

— Tu es baptisée!... O Sagesse divine! ô Providence! ô Dieu bon! Je connais maintenant la puissance qui m'attirait vers toi. Je sais ce qui te rendait si chère et si belle à mes yeux. C'est la vertu des eaux baptismales qui m'a fait quitter l'ombre de Dieu où je vivais pour t'aller chercher dans l'air empoisonné du siècle. Une goutte, une goutte sans doute des eaux qui lavèrent ton corps a jailli sur mon front. Viens, ô ma sœur, et reçois de ton frère le baiser de paix.

Et le moine effleura de ses lèvres le front de la courtisane.

Puis il se tut, laissant parler Dieu, et l'on n'entendait plus, dans la grotte des Nymphes, que les sanglots de Thaïs mêlés au chant des eaux vives.

Elle pleurait sans essuyer ses larmes quand deux esclaves noires vinrent chargées d'étoffes, de parfums et de guirlandes.

— Ce n'était guère à propos de pleurer, dit-elle en essayant de sourire. Les larmes rougissent les yeux et gâtent le teint, on doit souper cette nuit chez des amis, et je veux être belle, car il y aura là des femmes pour épier la fatigue de mon visage. Ces esclaves viennent m'habiller. Retire-toi, mon père, et laisse-les faire. Elles sont adroites et expérimentées;

aussi les ai-je payées très cher. Vois celle-ci, qui a de gros anneaux d'or et qui montre des dents si blanches. Je l'ai enlevée à la femme du proconsul.

Paphnuce eut d'abord la pensée de s'opposer de toutes ses forces à ce que Thaïs allât à ce souper. Mais, résolu d'agir prudemment, il lui demanda quelles personnes elle y rencontrerait.

Elle répondit qu'elle y verrait l'hôte du festin, le vieux Cotta, préfet de la flotte. Nicias et plusieurs autres philosophes avides de disputes, le poète Callicrate, le grand prêtre de Sérapis, des jeunes hommes riches occupés surtout à dresser des chevaux, enfin des femmes dont on ne saurait rien dire et qui n'avaient que l'avantage de la jeunesse. Alors, par une inspiration surnaturelle :

— Va parmi eux, Thaïs, dit le moine. Va! Mais je ne te quitte pas. J'irai avec toi à ce festin et je me tiendrai sans rien dire à ton côté.

Elle éclata de rire. Et tandis que les deux esclaves noires s'empressaient autour d'elle, elle s'écria :

— Que diront-ils quand ils verront que j'ai pour amant un moine de la Thébaïde?

LE BANQUET

Lorsque, suivie de Paphnuce, Thaïs entra dans la salle du banquet, les convives étaient déjà, pour la plupart, accoudés sur les lits, devant la table en fer à cheval, couverte d'une vaisselle étincelante. Au centre de cette table s'élevait une vasque d'argent que surmontaient quatre satires inclinant des outres d'où coulait sur des poissons bouillis une saumure dans laquelle ils nageaient. A la venue de Thaïs les acclamations s'élevèrent de toutes parts.

— Salut à la sœur des Charites!

— Salut à la Melpomène silencieuse, dont les regards savent tout exprimer!

— Salut à la bien-aimée des dieux et des hommes!

— A la tant désirée!

— A celle qui donne la souffrance et la guérison!

— A la perle de Racotis!

— A la rose d'Alexandrie!

Elle attendit impatiemment que ce torrent

de louanges eût coulé; et puis elle dit à Cotta, son hôte :

— Lucius, je t'amène un moine du désert, Paphnuce, abbé d'Antinoé; c'est un grand saint, dont les paroles brûlent comme du feu.

Lucius Aurélius Cotta, préfet de la flotte, s'étant levé :

— Sois le bienvenu, Paphnuce, toi qui professes la foi chrétienne. Moi-même, j'ai quelque respect pour un culte désormais impérial. Le divin Constantin a placé tes coreligionnaires au premier rang des amis de l'empire. La sagesse latine devait en effet admettre ton Christ dans notre Panthéon. C'est une maxime de nos pères qu'il y a en tout dieu quelque chose de divin. Mais laissons cela. Buvons et réjouissons-nous tandis qu'il en est temps encore.

Le vieux Cotta parlait ainsi avec sérénité. Il venait d'étudier un nouveau modèle de galère et d'achever le sixième livre de son histoire des Carthaginois. Sûr de n'avoir pas perdu sa journée, il était content de lui et des dieux.

— Paphnuce, ajouta-t-il, tu vois ici plusieurs hommes dignes d'être aimés : Hermodore, grand prêtre de Sérapis, les philosophes Dorion,

Nicias et Zénothémis, le poète Callicrate, le jeune Chéréas et le jeune Aristobule, tous deux fils d'un cher compagnon de ma jeunesse; et près d'eux Philina avec Drosé, qu'il faut louer grandement d'être belles.

Nicias vint embrasser Paphnuce et lui dit à l'oreille :

— Je t'avais bien averti, mon frère, que Vénus était puissante. C'est elle dont la douce violence t'a amené ici malgré toi. Écoute, tu es un homme rempli de piété; mais, si tu ne reconnais pas qu'elle est la mère des dieux, ta ruine est certaine. Sache que le vieux mathématicien Mélanthe a coutume de dire : « Je ne pourrais pas, sans l'aide de Vénus, démontrer les propriétés d'un triangle. »

Dorion, qui depuis quelques instants considérait le nouveau venu, soudain frappa des mains et poussa des cris d'admiration.

— C'est lui, mes amis! Son regard, sa barbe, sa tunique : c'est lui-même! Je l'ai rencontré au théâtre pendant que notre Thaïs montrait ses bras ingénieux. Il s'agitait furieusement et je puis attester qu'il parlait avec violence. C'est un honnête homme : il va nous invectiver tous ; son éloquence est terrible. Si Marcus est le Platon des chrétiens, Paphnuce est leur Démosthène. Épicure, dans son petit jardin, n'entendit jamais rien de pareil.

Cependant Philina et Drosé dévoraient Thaïs des yeux. Elle portait dans ses cheveux blonds une couronne de violettes pâles dont chaque fleur rappelait, en une teinte affaiblie, la couleur de ses prunelles, si bien que les fleurs semblaient des regards effacés et les yeux des fleurs étincelantes. C'était le don de cette femme : sur elle tout vivait, tout était âme et harmonie. Sa robe, couleur de mauve et lamée d'argent, traînait dans ses longs plis une grâce presque triste, que n'égayaient ni bracelets ni colliers, et tout l'éclat de sa parure était dans ses bras nus. Admirant malgré elles la robe et la coiffure de Thaïs, ses deux amies ne lui en parlèrent point.

— Que tu es belle ! lui dit Philina. Tu ne pouvais l'être plus quand tu vins à Alexandrie. Pourtant ma mère qui se souvenait de t'avoir vue alors disait que peu de femmes étaient dignes de t'être comparées.

— Qui est donc, demanda Drosé, ce nouvel

amoureux que tu nous amènes? Il a l'air étrange et sauvage. S'il y avait des pasteurs d'éléphants, assurément ils seraient faits comme lui. Où as-tu trouvé, Thaïs, un si sauvage ami? Ne serait-ce pas parmi les troglodytes qui vivent sous la terre et qui sont tout barbouillés des fumées du Hadès?

Mais Philina posant un doigt sur la bouche de Drosé :

— Tais-toi, les mystères de l'amour doivent rester secrets et il est défendu de les connaître. Pour moi, certes, j'aimerais mieux être baisée par la bouche de l'Etna fumant, que par les lèvres de cet homme. Mais notre douce Thaïs, qui est belle et adorable comme les déesses, doit, comme les déesses, exaucer toutes les prières et non pas seulement à notre guise celles des hommes aimables.

— Prenez garde toutes deux! répondit Thaïs. C'est un mage et un enchanteur. Il entend les paroles prononcées à voix basse et même les pensées. Il vous arrachera le cœur pendant votre sommeil ; il le remplacera par une éponge, et le lendemain, en buvant de l'eau, vous mourrez étouffées!

Elle les regarda pâlir, leur tourna le dos et s'assit sur un lit à côté de Paphnuce. La voix de Cotta, impérieuse et bienveillante, domina tout à coup le murmure des propos intimes :

— Amis, que chacun prenne sa place! Esclaves, versez le vin miellé!

Puis, l'hôte élevant sa coupe :

— Buvons d'abord au divin Constance et au Génie de l'empire. La patrie doit être mise au-dessus de tout, et même des dieux, car elle les contient tous.

Tous les convives portèrent à leurs lèvres leurs coupes pleines. Seul, Paphnuce ne but point, parce que Constance persécutait la foi de Nicée et que la patrie du chrétien n'est point de ce monde.

Dorion, ayant bu, murmura :

— Qu'est-ce que la patrie! Un fleuve qui coule. Les rives en sont changeantes et les ondes sans cesse renouvelées.

— Je sais, Dorion, répondit le préfet de la flotte, que tu fais peu de cas des vertus civiques et que tu estimes que le sage doit vivre étranger aux affaires. Je crois, au contraire, qu'un honnête homme ne doit rien tant désirer que de remplir de grandes charges dans l'État. C'est une belle chose que l'État!

Hermodore, grand prêtre de Sérapis, prit la parole :

— Dorion vient de demander : « Qu'est-ce que la patrie? » Je lui répondrai : Ce qui fait la patrie ce sont les autels des dieux et les tombeaux des ancêtres. On est concitoyen par la communauté des souvenirs et des espérances.

Le jeune Aristobule interrompit Hermodore :

— Par Castor, j'ai vu aujourd'hui un beau cheval. C'est celui de Démophon. Il a la tête sèche, peu de ganache et les bras gros. Il porte le col haut et fier, comme un coq.

Mais le jeune Chéréas secoua la tête :

— Ce n'est pas un aussi bon cheval que tu dis, Aristobule. Il a l'ongle mince. Les paturons portent à terre et l'animal sera bientôt estropié.

Ils continuaient leur dispute quand Drosé poussa un cri perçant :

— Hai! j'ai failli avaler une arête plus longue et plus acérée qu'un stylet. Par bonheur, j'ai pu la tirer à temps de mon gosier. Les dieux m'aiment!

— Ne dis-tu pas, ma Drosé, que les dieux t'aiment? demanda Nicias en souriant. C'est donc qu'ils partagent l'infirmité des hommes. L'amour suppose chez celui qui l'éprouve le sentiment d'une intime misère. C'est par lui que se trahit la faiblesse des êtres. L'amour qu'ils ressentent pour Drosé est une grande preuve de l'imperfection des dieux.

A ces mots, Drosé se mit dans une grande colère :

— Nicias, ce que tu dis là est inepte et ne répond à rien. C'est, d'ailleurs, ton caractère de ne point comprendre ce qu'on dit et de répondre des paroles dépourvues de sens.

Nicias souriait encore :

— Parle, parle, ma Drosé. Quoi que tu dises, il faut te rendre grâce chaque fois que tu ouvres la bouche. Tes dents sont si belles !

A ce moment, un grave vieillard, négligemment vêtu, la démarche lente et la tête haute, entra dans la salle et promena sur les convives un regard tranquille. Cotta lui fit signe de prendre place à son côté, sur son propre lit

— Eucrite, lui dit-il, sois le bienvenu ! As-tu composé ce mois-ci un nouveau traité de philosophie? Ce serait, si je compte bien, le quatre-vingt-douzième sorti de ce roseau du Nil que tu conduis d'une main attique.

Eucrite répondit, en caressant sa barbe d'argent :

— Le rossignol est fait pour chanter et moi je suis fait pour louer les dieux immortels.

DORION

Saluons respectueusement en Eucrite le dernier des stoïciens. Grave et blanc, il s'élève au milieu de nous comme une image des ancêtres! Il est solitaire dans la foule des hommes et prononce des paroles qui ne sont point entendues.

EUCRITE

Tu te trompes, Dorion. La philosophie de la vertu n'est pas morte en ce monde. J'ai de nombreux disciples dans Alexandrie, dans Rome et dans Constantinople. Plusieurs parmi les esclaves et parmi les neveux des Césars savent encore régner sur eux-mêmes, vivre libres et goûter dans le détachement des choses une félicité sans limites. Plusieurs font revivre en eux Épictète et Marc Aurèle. Mais, s'il était vrai que la vertu fût à jamais éteinte sur la terre, en quoi sa perte intéresserait-elle mon bonheur, puisqu'il ne dépendait pas de moi qu'elle durât ou pérît? Les fous seuls, Dorion, placent leur félicité hors de leur pouvoir. Je ne désire rien que ne veuillent les dieux et je désire tout ce qu'ils veulent. Par là, je me rends semblable à eux et je partage leur infaillible contentement. Si la vertu périt, je consens qu'elle périsse et ce consentement me remplit de joie comme le suprême effort de ma raison ou de mon courage. En toutes choses, ma sagesse copiera la sagesse divine, et la copie sera plus précieuse que le modèle; elle aura coûté plus de soins et de plus grands travaux.

NICIAS

J'entends. Tu t'associes à la Providence céleste. Mais si la vertu consiste seulement dans l'effort, Eucrite, et dans cette tension par laquelle les disciples de Zénon prétendent se rendre semblables aux dieux, la grenouille qui s'enfle pour devenir aussi grosse que le bœuf accomplit le chef-d'œuvre du stoïcisme.

EUCRITE

Nicias, tu railles et, comme à ton ordinaire, tu excelles à te moquer. Mais, si le bœuf dont tu parles est vraiment un dieu, comme Apis et comme ce bœuf souterrain dont je vois ici le grand prêtre, et si la grenouille, sagement inspirée, parvient à l'égaler, ne sera-t-elle pas, en effet, plus vertueuse que le bœuf, et pourras-tu te défendre d'admirer une bestiole si généreuse?

Quatre serviteurs posèrent sur la table un sanglier couvert encore de ses soies. Des marcassins, faits de pâte cuite au four, entourant la bête comme s'ils voulaient téter, indiquaient que c'était une laie.

Zénothémis, se tournant vers le moine :

— Amis, un convive est venu de lui-même se joindre à nous. L'illustre Paphnuce, qui mène dans la solitude une vie prodigieuse, est notre hôte inattendu.

COTTA

Dis mieux, Zénothémis. La première place lui est due, puisqu'il est venu sans être invité.

ZÉNOTHÉMIS

Aussi devons-nous, cher Lucius, l'accueillir avec une particulière amitié et rechercher ce qui peut lui être le plus agréable. Or, il est certain qu'un tel homme est moins sensible au fumet des viandes qu'au parfum des belles pensées. Nous lui ferons plaisir, sans doute, en amenant l'entretien sur la doctrine qu'il professe et qui est celle de Jésus crucifié. Pour moi, je m'y prêterai d'autant plus volontiers que cette doctrine m'intéresse vivement par le nombre et la diversité des allégories qu'elle renferme. Si l'on devine l'esprit sous la lettre, elle est pleine de vérités et j'estime que les livres des chrétiens abondent en révélations divines. Mais je ne saurais, Paphnuce, accorder un prix égal aux livres des Juifs. Ceux-là furent inspirés, non, comme on l'a dit, par l'esprit de Dieu, mais par un mauvais génie. Iaveh, qui les dicta, était un de ces esprits qui peuplent l'air inférieur et causent la plupart des maux dont nous souffrons ; mais il les surpassait tous en ignorance et en férocité. Au contraire, le serpent aux ailes d'or, qui déroulait autour de l'arbre de la science sa spirale d'azur, était pétri de lumière et d'amour. Aussi, la lutte était-elle inévitable entre ces deux puissances, celle-ci brillante et l'autre ténébreuse. Elle éclata dans les premiers jours du monde. Dieu venait à peine de rentrer dans son repos, Adam et Ève le premier homme et la première femme vivaient heureux et nus au jardin d'Eden, quand Iaveh forma, pour leur malheur, le dessein de les gouverner, eux et toutes les générations qu'Ève portait déjà dans ses flancs magnifiques. Comme il ne possédait ni le compas ni la lyre et qu'il ignorait également la science qui commande et l'art qui persuade, il effrayait ces deux pauvres enfants par des apparitions difformes, des menaces capricieuses et des coups de tonnerre. Adam et Ève, sentant son ombre sur eux, se pressaient l'un contre l'autre et leur amour redoublait dans la peur. Le serpent eut pitié d'eux et résolut de les instruire, afin que, possédant la science, ils ne fussent plus abusés par des mensonges. L'entreprise exigeait une rare prudence et la faiblesse du premier couple humain la rendait presque désespérée. Le bienveillant démon la tenta pourtant. A l'insu de Iaveh, qui prétendait tout voir mais dont la vue en réalité n'était pas bien perçante, il s'approcha des deux créatures, charma leurs regards par la splendeur de sa cuirasse et l'éclat de ses ailes. Puis il intéressa leur esprit en formant devant eux, avec son corps, des figures exactes, telles que le cercle, l'ellipse et la spirale, dont les propriétés admirables ont été reconnues depuis par les Grecs. Adam, mieux qu'Ève, méditait sur ces figures. Mais quand le serpent, s'étant mis à parler, enseigna les vérités les plus hautes, celles qui ne se démontrent pas, il reconnut qu'Adam, pétri de terre rouge, était d'une nature trop épaisse pour percevoir ces subtiles connaissances et que Ève, au contraire, plus tendre et plus sensible, en était aisément pénétrée. Aussi l'entretenait-il seule, en l'absence de son mari. afin de l'initier la première...

DORION

Souffre, Zénothémis, que je t'arrête ici. J'ai d'abord reconnu dans le mythe que tu nous exposes, un épisode de la lutte de Pallas Athéné contre les géants. Iaveh ressemble beaucoup à Typhon, et Pallas est représentée par les Athéniens avec un serpent à son côté. Mais ce que tu viens de dire m'a fait douter tout à coup de l'intelligence ou de la bonne foi du serpent dont tu parles. S'il avait vraiment possédé la sagesse, l'aurait-il confiée à une petite tête femelle, incapable de la contenir? Je croirai plutôt qu'il était, comme Iaveh, ignorant et menteur et qu'il choisit Ève parce qu'elle était facile à séduire et qu'il supposait à Adam plus d'intelligence et de réflexion.

ZÉNOTHÉMIS

Sache, Dorion, que c'est, non par la réflexion et l'intelligence, mais bien par le sentiment qu'on atteint les vérités les plus hautes et les plus pures. Aussi. les femmes qui, d'ordinaire, sont moins réfléchies, mais plus sensibles que les hommes, s'élèvent-elles plus facilement à la connaissance des choses divines. En elles, est le don de prophétie et ce n'est pas sans raison qu'on représente quelquefois Apollon Citharède, et Jésus de Nazareth, vêtus comme des femmes, d'une robe flottante. Le serpent initiateur fut donc sage, quoi que tu dises, Dorion, en préférant au grossier Adam, pour son œuvre de lumière, cette Ève plus blanche que le lait et que les étoiles. Elle l'écouta docilement et se laissa conduire à l'arbre de la science dont les rameaux s'élevaient jusqu'au ciel et que l'esprit divin baignait comme une rosée. Cet arbre était couvert de feuilles qui parlaient toutes les langues des hommes futurs et dont les voix unies formaient un concert parfait. Ses bruits abondants donnaient aux initiés qui s'en nourrissaient la connaissance des métaux, des pierres, des plantes ainsi que des lois physiques et des lois morales; mais ils étaient de flamme, et ceux qui craignaient la souffrance et la mort n'osaient les porter à leurs lèvres. Or, ayant écouté docilement les leçons du serpent, Ève s'éleva au-dessus des vaines terreurs et désira goûter aux fruits qui donnent la connaissance de Dieu. Mais pour qu'Adam, qu'elle aimait, ne lui devînt pas inférieur, elle le prit par la main et le conduisit à l'arbre merveilleux. Là, cueillant une pomme ardente, elle y mordit et la tendit ensuite à son compagnon. Par malheur, Iaveh, qui se promenait d'aventure dans le jardin, les surprit et, voyant qu'ils devenaient savants, il entra dans une effroyable fureur. C'est surtout dans la jalousie qu'il était à craindre. Rassemblant ses forces, il produisit un tel tumulte dans l'air inférieur que ces deux êtres débiles en furent consternés. Le fruit échappa des mains de l'homme, et la femme, s'attachant au cou du malheureux, lui dit : « Je veux ignorer et souffrir avec toi. » Iaveh triomphant maintint Adam et Ève et toute leur semence dans la stupeur et dans l'épouvante. Son art, qui se réduisait à fabriquer de grossiers météores, l'emporta sur la science du serpent, musicien et géomètre. Il enseigna aux hommes l'injustice, l'ignorance et la cruauté et fit régner le mal sur la terre. Il poursuivit Caïn et ses fils, parce qu'ils étaient industrieux ; il extermina les Philistins parce qu'ils composaient des poèmes orphiques et des fables comme celles d'Ésope. Il fut l'implacable ennemi de la science et de la beauté, et le genre humain expia pendant de longs siècles, dans le sang et les larmes, la défaite du serpent ailé. Heureusement il se trouva parmi les Grecs des hommes subtils, tels que Pythagore et Platon, qui retrouvèrent, par la puissance du génie, les figures et les idées que l'ennemi de Iaveh avait tenté vainement d'enseigner à la première femme. L'esprit du serpent était en eux ; c'est pourquoi le serpent, comme l'a dit Dorion, est honoré par les Athéniens. Enfin, dans des jours plus récents, parurent, sous une forme humaine, trois esprits célestes, Jésus de Galilée, Basilide et Valentin, à qui il fut donné de cueillir les fruits les plus éclatants de cet arbre de la science dont les racines traversent la terre et qui porte sa cime au faîte des cieux. C'est ce que j'avais à dire pour venger les chrétiens à qui l'on impute trop souvent les erreurs des Juifs.

DORION

Si je t'ai bien entendu, Zénothémis, trois

hommes admirables, Jésus, Basilide et Valentin, ont découvert des secrets qui restaient cachés à Pythagore, à Platon, à tous les philosophes de la Grèce et même au divin Épicure, qui pourtant affranchit l'homme de toutes les vaines terreurs. Tu nous obligeras en nous disant par quel moyen ces trois mortels acquirent des connaissances qui avaient échappé à la méditation des sages.

ZÉNOTHÉMIS

Faut-il donc te répéter, Dorion, que la science et la méditation ne sont que les premiers degrés de la connaissance et que l'extase seule conduit aux vérités éternelles?

HERMODORE

Il est vrai, Zénothémis, l'âme se nourrit d'extase comme la cigale de rosée. Mais disons mieux encore : l'esprit seul est capable d'un entier ravissement. Car l'homme est triple, composé d'un corps matériel, d'une âme plus subtile mais également matérielle, et d'un esprit incorruptible. Quand sortant de son corps comme d'un palais rendu subitement au silence et à la solitude, puis traversant au vol les jardins de son âme, l'esprit se répand en Dieu, il goûte les délices d'une mort anticipée ou plutôt de la vie future, car mourir, c'est vivre, et dans cet état, qui participe de la pureté divine, il possède à la fois la joie infinie et la science absolue. Il entre dans l'unité qui est tout. Il est parfait.

NICIAS

Cela est admirable. Mais, à vrai dire, Hermodore, je ne vois pas grande différence entre le tout et le rien. Les mots même me semblent manquer pour faire cette distinction. L'infini ressemble parfaitement au néant : ils sont tous deux inconcevables. A mon avis, la perfection coûte très cher : on la paye de tout son être, et pour l'obtenir il faut cesser d'exister. C'est là une disgrâce à laquelle Dieu lui-même n'a pas échappé depuis que les philosophes se sont mis en tête de le perfectionner. Après cela, si nous ne savons pas ce que c'est que de ne pas être, nous ignorons par là même ce que c'est que d'être. Nous ne savons rien. On dit qu'il est impossible aux hommes de s'entendre. Je croirais, en dépit du bruit de nos disputes, qu'il leur est au contraire impossible de ne pas tomber finalement d'accord, ensevelis côte à côte sous l'amas des contradictions qu'ils ont entassées, comme Pélion sur Ossa.

COTTA

J'aime beaucoup la philosophie et je l'étudie à mes heures de loisir. Mais je ne la comprends bien que dans les livres de Cicéron. Esclaves, versez le vin miellé!

CALLICRATE

Voilà une chose singulière! Quand je suis à jeun, je songe au temps où les poètes tragiques s'asseyaient aux banquets des bons tyrans et l'eau m'en vient à la bouche. Mais dès que j'ai goûté le vin opime que tu nous verses abondamment, généreux Lucius, je ne rêve que luttes civiles et combats héroïques.

Je rougis de vivre en des temps sans gloire, j'invoque la liberté et je répands mon sang en imagination avec les derniers Romains dans les champs de Philippes.

COTTA

Au déclin de la république, mes aïeux sont morts avec Brutus pour la liberté. Mais on peut douter si ce qu'ils appelaient la liberté du peuple romain n'était pas, en réalité, la faculté de le gouverner eux-mêmes. Je ne nie pas que la liberté ne soit pour une nation le premier des biens. Mais plus je vis et plus je me persuade qu'un gouvernement fort peut seul l'assurer aux citoyens. J'ai exercé pendant quarante ans les plus hautes charges de l'État et ma longue expérience m'a enseigné que le peuple est opprimé quand le pouvoir est faible. Aussi ceux qui, comme la plupart des rhéteurs, s'efforcent d'affaiblir le gouvernement, commettent-ils un crime détestable. Si la volonté d'un seul s'exerce parfois d'une façon funeste, le consentement populaire rend toute résolution impossible. Avant que la majesté de la paix romaine couvrît le monde, les peuples ne furent heureux que sous d'intelligents despotes.

HERMODORE

Pour moi, Lucius, je pense qu'il n'y a point de bonne forme de gouvernement et qu'on n'en saurait découvrir, puisque les Grecs ingénieux, qui conçurent tant de formes heureuses, ont cherché celle-là sans pouvoir la trouver. A cet égard, tout espoir nous est désormais interdit. On reconnaît à des signes certains que le monde est près de s'abîmer dans l'ignorance et dans la barbarie. Il nous était donné, Lucius, d'assister à l'agonie terrible de la civilisation. De toutes les satisfactions que procuraient l'intelligence, la science et la vertu, il ne nous reste plus que la joie cruelle de nous regarder mourir.

COTTA

Il est certain que la faim du peuple et l'audace des barbares sont des fléaux redoutables. Mais avec une bonne flotte, une bonne armée et de bonnes finances...

HERMODORE

Que sert de se flatter? L'empire expirant offre aux barbares une proie facile. Les cités qu'édifièrent le génie hellénique et la patience latine seront bientôt saccagées par des sauvages ivres. Il n'y aura plus sur la terre ni art ni philosophie. Les images des dieux seront renversées dans les temples et dans les âmes. Ce sera la nuit de l'esprit et la mort du monde. Comment croire en effet que les Sarmates se livreront jamais aux travaux de l'intelligence, que les Germains cultiveront la musique et la philosophie, que les Quades et les Marcomans adoreront les dieux immortels? Non! Tout penche et s'abîme. Cette vieille Égypte qui a été le berceau du monde en sera l'hypogée; Sérapis, dieu de la mort, recevra les suprêmes adorations des mortels et j'aurai été le dernier prêtre du dernier dieu.

A ce moment une figure étrange souleva la tapisserie, et les convives virent devant eux un petit homme bossu dont le crâne chauve s'élevait en pointe. Il était vêtu, à la mode asiatique, d'une tunique d'azur et portait autour des jambes, comme les barbares, des braies rouges, semées d'étoiles d'or. En le voyant, Paphnuce reconnut Marcus l'Arien, et craignant de voir tomber la foudre, il porta ses mains au-dessus de sa tête et pâlit d'épouvante. Ce que n'avaient pu, dans ce banquet des démons, ni les blasphèmes des païens, ni les erreurs horribles des philosophes, le seule présence de l'hérétique étonna son courage. Il voulut fuir, mais son regard ayant rencontré celui de Thaïs, il se sentit soudain rassuré. Il avait lu dans l'âme de la prédestinée et compris que celle qui allait devenir une sainte le protégeait déjà. Il saisit un pan de la robe qu'elle laissait traîner sur le lit, et pria mentalement le Sauveur Jésus.

Un murmure flatteur avait accueilli la venue du personnage qu'on nommait le Platon des chrétiens. Hermodore lui parla le premier :

— Très illustre Marcus, nous nous réjouissons tous de te voir parmi nous et l'on peut dire que tu viens à propos. Nous ne connaissons de la doctrine des chrétiens que ce qui en est publiquement enseigné. Or, il est certain qu'un philosophe tel que toi ne peut penser ce que pense le vulgaire et nous sommes curieux de savoir ton opinion sur les principaux mystères de la religion que tu professes. Notre cher Zénothémis qui, tu le sais, est avide de symboles, interrogeait tout à l'heure l'illustre Paphnuce sur les livres des Juifs. Mais Paphnuce ne lui a point fait de réponse et nous ne devons pas en être surpris, puisque notre hôte est voué au silence et que le Dieu a scellé sa langue dans le désert. Mais toi, Marcus, qui as porté la parole dans les synodes des chrétiens et jusque dans les conseils du divin Constantin, tu pourras, si tu veux, satisfaire notre curiosité en nous révélant les vérités philosophiques qui sont enveloppées dans les fables des chrétiens. La première de ces vérités n'est-elle pas l'existence de ce Dieu unique, auquel, pour ma part, je crois fermement ?

MARCUS

Oui, vénérables frères, je crois en un seul Dieu, non engendré, seul éternel, principe de toutes choses.

NICIAS

Nous savons, Marcus, que ton Dieu a créé le monde. Ce fut, certes, une grande crise dans son existence. Il existait déjà depuis une éternité avant d'avoir pu s'y résoudre. Mais, pour être juste, je reconnais que sa situation était des plus embarrassantes. Il lui fallait demeurer inactif pour rester parfait et il devait agir s'il voulait se prouver à lui-même sa propre existence. Tu m'assures qu'il s'est décidé à agir. Je veux te croire, bien que ce soit de la part d'un Dieu parfait une impardonnable imprudence. Mais, dis-nous, Marcus, comment il s'y est pris pour créer le monde.

MARCUS

Ceux qui, sans être chrétiens, possèdent, comme Hermodore et Zénothémis, les principes de la connaissance, savent que Dieu n'a pas créé le monde directement et sans intermédiaire. Il a donné naissance à un fils unique, par qui toutes choses ont été faites.

HERMODORE

Tu dis vrai, Marcus; et ce fils est indifféremment adoré sous les noms d'Hermès, de Mithra, d'Adonis, d'Apollon et de Jésus.

MARCUS

Je ne serais point chrétien si je lui donnais d'autres noms que ceux de Jésus, de Christ et de Sauveur. Il est le vrai fils de Dieu. Mais il n'est pas éternel, puisqu'il a eu un commencement; quant à penser qu'il existait avant d'être engendré, c'est une absurdité qu'il faut laisser aux mulets de Nicée et à l'âne rétif qui gouverna trop longtemps l'Église d'Alexandrie sous le nom maudit d'Athanase.

A ces mots, Paphnuce, blême et le front baigné d'une sueur d'agonie, fit le signe de la croix et persévéra dans son silence sublime.

Marcus poursuivit :

— Il est clair que l'inepte symbole de Nicée attente à la majesté du Dieu unique, en l'obligeant à partager ses indivisibles attributs avec sa propre émanation, le médiateur par qui toutes choses furent faites. Renonce à railler le Dieu vrai des chrétiens, Nicias ; sache, que, pas plus que les lis des champs, il ne travaille ni ne file. L'ouvrier, ce n'est pas lui, c'est son fils unique, c'est Jésus qui, ayant créé le monde, vint ensuite réparer son ouvrage. Car la création ne pouvait être parfaite et le mal s'y était mêlé nécessairement au bien.

NICIAS

Qu'est-ce que le bien et qu'est-ce que le mal?

Il y eut un moment de silence pendant lequel Hermodore, le bras étendu sur la nappe, montra un petit âne, en métal de Corinthe, qui portait deux paniers contenant, l'un des olives blanches, l'autre des olives noires.

— Voyez ces olives, dit-il. Notre regard est agréablement flatté par le contraste de leurs teintes, et nous sommes satisfaits que celles-ci soient claires et celles-là sombres. Mais si elles étaient douées de pensée et de connaissance, les blanches diraient : il est bien qu'une olive soit blanche, il est mal qu'elle soit noire, et le peuple des olives noires détesterait le peuple des olives blanches. Nous en jugeons mieux, car nous sommes autant au-dessus d'elles que les dieux sont au-dessus de nous. Pour l'homme qui ne voit qu'une partie des choses, le mal est un mal; pour Dieu, qui comprend tout, le mal est un bien. Sans doute la laideur est laide et non pas belle; mais si tout était beau le tout ne serait pas beau. Il est donc bien qu'il y ait du mal, ainsi que l'a démontré le second Platon, plus grand que le premier.

EUCRITE

Parlons plus vertueusement. Le mal est un mal, non pour le monde dont il ne détruit pas l'indestructible harmonie, mais pour le méchant qui le fait et qui pouvait ne pas le faire.

COTTA

Par Jupiter ! voilà un bon raisonnement !

EUCRITE

Le monde est la tragédie d'un excellent

poète. Dieu qui la composa, a désigné chacun de nous pour y jouer un rôle. S'il veut que tu sois mendiant, prince ou boiteux, fais de ton mieux le personnage qui t'a été assigné.

NICIAS

Assurément il sera bon que le boiteux de la tragédie boite comme Héphaistos ; il sera bon que l'insensé s'abandonne aux fureurs d'Ajax, que la femme incestueuse renouvelle les crimes de Phèdre, que le traître trahisse, que le fourbe mente, que le meurtrier tue, et quand la pièce sera jouée, tous les acteurs, rois, justes, tyrans sanguinaires, vierges pieuses, épouses impudiques, citoyens magnanimes et lâches assassins recevront du poète une part égale de félicitations.

EUCRITE

Tu dénatures ma pensée, Nicias, et changes une belle jeune fille en gorgone hideuse. Je te plains d'ignorer la nature des dieux, la justice et les lois éternelles.

ZÉNOTHÉMIS

Pour moi, mes amis, je crois à la réalité du bien et du mal. Mais je suis persuadé qu'il n'est pas une seule action humaine, fût-ce le baiser de Judas, qui ne porte en elle un germe de rédemption. Le mal concourt au salut final des hommes, et en cela, il procède du bien et participe des mérites attachés au bien. C'est ce que les chrétiens ont admirablement exprimé par le mythe de cet homme au poil roux qui pour trahir son maître lui donna le baiser de paix, et assura par un tel acte le salut des hommes. Aussi rien n'est-il, à mon sens, plus injuste et plus vain que la haine dont certains disciples de Paul le tapissier poursuivent le plus malheureux des apôtres de Jésus, sans songer que le baiser de l'Iscariote, annoncé par Jésus lui-même, était nécessaire selon leur propre doctrine à la rédemption des hommes et que, si Judas n'avait pas reçu la bourse de trente sicles, la sagesse divine était démentie, la Providence déçue, ses desseins renversés et le monde rendu au mal, à l'ignorance, à la mort.

MARCUS

La sagesse divine avait prévu que Judas, libre de ne pas donner le baiser du traître, le donnerait pourtant. C'est ainsi qu'elle a employé le crime de l'Iscariote comme une pierre dans l'édifice merveilleux de la rédemption.

ZÉNOTHÉMIS

Je t'ai parlé tout à l'heure, Marcus, comme si je croyais que la rédemption des hommes avait été accomplie par Jésus crucifié, parce que je sais que telle est la croyance des chrétiens et que j'entrais dans leur pensée pour mieux saisir le défaut de ceux qui croient à la damnation éternelle de Judas. Mais en réalité Jésus n'est à mes yeux que le précurseur de Basilide et de Valentin. Quant au mystère de la rédemption, je vous dirai, chers amis, pour peu que vous soyez curieux de l'entendre, comment il s'est véritablement accompli sur la terre.

Les convives firent un signe d'assentiment.

Semblables aux vierges athéniennes avec les corbeilles sacrées de Cérès, douze jeunes filles, portant sur leur tête des paniers de grenades et de pommes, entrèrent dans la salle d'un pas léger dont la cadence était marquée par une flûte invisible. Elles posèrent les paniers sur la table, la flûte se tut et Zénothémis parla de la sorte :

— Quand Eunoia, la pensée de Dieu, eut créé le monde, elle confia aux anges le gouvernement de la terre. Mais ceux-ci ne gardèrent point la sérénité qui convient aux maîtres. Voyant que les filles des hommes étaient belles, ils les surprirent, le soir, au bord des citernes, et ils s'unirent à elles. De ces hymens sortit une race violente qui couvrit la terre d'injustice et de cruautés, et la poussière des chemins but le sang innocent. A cette vue Eunoia fut prise d'une tristesse infinie :

» — Voilà donc ce que j'ai fait ! soupira-t-elle, en se penchant vers le monde. Mes enfants sont plongés par ma faute dans la vie amère. Leur souffrance est mon crime et je veux l'expier. Dieu même, qui ne pense que par moi, serait impuissant à leur rendre la pureté première. Ce qui est fait est fait, et la création est à jamais manquée. Du moins, je n'abandonnerai pas mes créatures. Si je ne puis les rendre heureuses comme moi, je peux me rendre malheureuse comme elles. Puisque j'ai commis la faute de leur donner des corps qui les humilient, je prendrai moi-même un corps semblable aux leurs et j'irai vivre parmi elles.

» Ayant ainsi parlé, Eunoia descendit sur la terre et s'incarna dans le sein d'une tyndaride. Elle naquit petite et débile et reçut le nom d'Hélène. Soumise aux travaux de la vie, elle grandit bientôt en grâce et en beauté, et devint la plus désirée des femmes, comme elle l'avait résolu, afin d'être éprouvée dans son corps mortel par les plus illustres souillures. Proie inerte des hommes lascifs et violents, elle se dévoua au rapt et à l'adultère en expiation de tous les adultères, de toutes les violences, de toutes les iniquités, et causa par sa beauté la ruine des peuples, pour que Dieu pût pardonner les crimes de l'univers. Et jamais la pensée céleste, jamais Eunoia ne fut si adorable qu'aux jours où, femme, elle se prostituait aux héros et aux bergers. Les poètes devinaient sa divinité, quand ils la peignaient si paisible, si superbe et si fatale, et lorsqu'ils lui faisaient cette invocation : « Ame sereine comme le calme des mers ! »

» C'est ainsi qu'Eunoia fut entraînée par la pitié dans le mal et dans la souffrance. Elle mourut, et les Lacédémoniens montrent son tombeau, car elle devait connaître la mort après la volupté et goûter tous les fruits amers qu'elle avait semés. Mais, s'échappant de la chair décomposée d'Hélène, elle s'incarna dans une autre forme de femme et s'offrit de nouveau à tous les outrages. Ainsi, passant de corps en corps, et traversant parmi nous les âges mauvais, elle prend sur elle les péchés du monde. Son sacrifice ne sera point vain. Attachée à nous par les liens de la chair, aimant et pleurant avec nous, elle opérera sa rédemption et la nôtre, et nous ravira, suspendus à sa blanche poitrine, dans la paix du ciel reconquis.

HERMODORE

Ce mythe ne m'était point inconnu. Il me souvient qu'on a conté qu'en une de ses métamorphoses, cette divine Hélène vivait auprès du magicien Simon, sous Tibère empereur. Je croyais toutefois que sa déchéance était involontaire et que les anges l'avaient entraînée dans leur chute.

ZÉNOTHÉMIS

Hermodore, il est vrai que des hommes mal initiés aux mystères ont pensé que la triste Eunoia n'avait pas consenti sa propre déchéance. Mais, s'il en était ainsi qu'ils prétendent, Eunoia ne serait pas la courtisane expiatrice, l'hostie couverte de toutes les macules, le pain imbibé du vin de nos hontes, l'offrande agréable, le sacrifice méritoire, l'holocauste dont la fumée monte vers Dieu. S'ils n'étaient point volontaires ses péchés n'auraient point de vertu.

CALLICRATE

Mais veux-tu que je t'apprenne, Zénothémis, dans quel pays, sous quel nom, en quelle forme adorable vit aujourd'hui cette Hélène toujours renaissante?

ZÉNOTHÉMIS

Il faut être très sage pour découvrir un tel secret. Et la sagesse, Callicrate, n'est pas donnée aux poètes, qui vivent dans le monde grossier des formes et s'amusent, comme les enfants, avec des sons et de vaines images.

CALLICRATE

Crains d'offenser les dieux, impie Zénothémis ; les poètes leur sont chers. Les premières lois furent dictées en vers par les immortels eux-mêmes, et les oracles des dieux sont des poèmes. Les hymnes ont pour les oreilles célestes d'agréables sons. Qui ne sait que les poètes sont des devins et que rien ne leur est caché ? Étant poète moi-même et ceint du laurier d'Apollon, je révélerai à tous la dernière incarnation d'Eunoia. L'éternelle Hélène est près de vous : elle nous regarde et nous la regardons. Voyez cette femme accoudée aux coussins de son lit, si belle et toute songeuse, et dont les yeux ont des larmes, les lèvres des baisers. C'est elle ! Charmante comme aux jours de Priam et de l'Asie en fleur, Eunoia se nomme aujourd'hui Thaïs.

PHILINA

Que dis-tu, Callicrate? Notre chère Thaïs aurait connu Pâris, Ménélas et les Achéens aux belles cnémides qui combattaient devant Ilion! Était-il grand, Thaïs, le cheval de Troie?

ARISTOBULE

Qui parle d'un cheval?

— J'ai bu comme un Thrace! s'écria Chéréas.

Et il roula sous la table.

Callicrate, élevant sa coupe :

— Je bois aux Muses héliconiennes, qui m'ont promis une mémoire que n'obscurcira jamais l'aile sombre de la nuit fatale!

Le vieux Cotta dormait et sa tête chauve se balançait lentement sur ses larges épaules.

Depuis quelque temps, Dorion s'agitait dans son manteau philosophique. Il s'approcha en chancelant du lit de Thaïs :

— Thaïs, je t'aime, bien qu'il soit indigne de moi d'aimer une femme.

THAÏS

Pourquoi ne m'aimais-tu pas tout à l'heure?

DORION

Parce que j'étais à jeun.

THAÏS

Mais moi, mon pauvre ami, qui n'ai bu que de l'eau, souffre que je ne t'aime pas.

Dorion n'en voulut pas entendre davantage et se glissa auprès de Drosé qui l'appelait du regard pour l'enlever à son amie. Zénothémis prenant la place quittée donna à Thaïs un baiser sur la bouche.

THAÏS

Je te croyais plus vertueux.

ZÉNOTHÉMIS

Je suis parfait, et les parfaits ne sont tenus à aucune loi.

THAÏS

Mais ne crains-tu pas de souiller ton âme dans les bras d'une femme?

ZÉNOTHÉMIS

Le corps peut céder au désir, sans que l'âme en soit occupée.

THAÏS

Va-t'en! Je veux qu'on m'aime de corps et d'âme. Tous ces philosophes sont des boucs!

Les lampes s'éteignaient une à une. Un jour pâle, qui pénétrait par les fentes des tentures, frappait les visages livides et les yeux gonflés des convives. Aristobule, tombé les poings fermés à côté de Chéréas, envoyait en songe ses palefreniers tourner la meule. Zénothémis pressait dans ses bras Philina défaite. Dorion versait sur la gorge nue de Drosé des gouttes de vin qui roulaient comme des rubis de la blanche poitrine agitée par le rire et que le philosophe poursuivait avec ses lèvres pour les boire sur la chair glissante. Eucrite se leva ; et posant le bras sur l'épaule de Nicias, il l'entraîna au fond de la salle.

— Ami, lui dit-il en souriant, si tu penses encore, à quoi penses-tu?

— Je pense que les amours des femmes sont semblables aux jardins d'Adonis.

— Que veux-tu dire?

— Ne sais-tu pas, Eucrite, que les femmes font chaque année de petits jardins sur leur terrasse, en plantant pour l'amant de Vénus des rameaux dans des vases d'argile? Ces rameaux verdoient peu de temps et se fanent.

— Ami, n'ayons donc souci ni de ces amours ni de ces jardins. C'est folie de s'attacher à ce qui passe.

— Si la beauté n'est qu'une ombre le désir n'est qu'un éclair. Quelle folie y a-t-il à désirer la beauté? N'est-il pas raisonnable, au contraire, que ce qui passe aille à ce qui ne dure pas et que l'éclair dévore l'ombre glissante?

— Nicias, tu me sembles un enfant qui joue aux osselets. Crois-moi : sois libre. C'est par là qu'on est homme.

— Comment peut-on être libre, Eucrite, quand on a un corps?

— Tu le verras tout à l'heure, mon fils. Tout à l'heure tu diras : Eucrite était libre.

Le vieillard parlait adossé à une colonne de porphyre, le front éclairé par les premiers rayons de l'aube. Hermodore et Marcus, s'étant approchés, se tenaient devant lui à côté de Nicias, et tous quatre, indifférents aux rires et aux cris des buveurs, s'entretenaient des choses divines. Eucrite s'exprimait avec tant de sagesse que Marcus lui dit :

— Tu es digne de connaître le vrai Dieu.

Eucrite répondit :

— Le vrai Dieu est dans le cœur du sage.

Puis ils parlèrent de la mort.

— Je veux, dit Eucrite, qu'elle me trouve occupé à me corriger moi-même et attentif à tous mes devoirs. Devant elle, je lèverai au ciel mes mains pures et je dirai aux dieux :

« Vos images, dieux, que vous avez posées dans le temple de mon âme, je ne les ai point souillées; j'y ai suspendu mes pensées ainsi que des guirlandes, des bandelettes et des couronnes. J'ai vécu en conformité avec votre providence. J'ai assez vécu. »

En parlant ainsi, il levait les bras au ciel et son visage resplendissait de lumière.

Il resta pensif un instant. Puis il reprit avec une allégresse profonde :

— Détache-toi de la vie, Eucrite, comme l'olive mûre qui tombe, en rendant grâce à l'arbre qui l'a portée et en bénissant la terre sa nourrice !

A ces mots, tirant d'un pli de sa robe un poignard nu, il le plongea dans sa poitrine.

Quand ceux qui l'écoutaient saisirent ensemble son bras, la pointe du fer avait pénétré dans le cœur du sage; Eucrite était entré dans le repos. Hermodore et Nicias portèrent le corps pâle et sanglant sur un des lits du festin, au milieu des cris aigus des femmes, des grognements des convives dérangés dans leur assoupissement et des souffles de volupté étouffés dans l'ombre des tapis. Le vieux

Cotta, réveillé de son léger sommeil de soldat, était déjà auprès du cadavre, examinant la plaie et criant :

— Qu'on appelle mon médecin Aristée!

Nicias secoua la tête :

— Eucrite n'est plus, dit-il. Il a voulu mourir comme d'autres veulent aimer. Il a, comme nous tous, obéi à l'ineffable désir. Et le voilà maintenant semblable aux dieux qui ne désirent rien.

Cotta se frappait le front :

— Mourir? vouloir mourir quand on peut encore servir l'État, quelle aberration!

Cependant Paphnuce et Thaïs étaient restés immobiles, muets, côte à côte, l'âme débordant de dégoût, d'horreur et d'espérance.

Tout à coup le moine saisit par la main la comédienne; enjamba avec elle les ivrognes abattus près des êtres accouplés et, les pieds dans le vin et le sang répandus, il l'entraîna dehors.

Le jour se levait rose sur la ville. Les longues colonnades s'étendaient des deux côtés de la voie solitaire, dominées au loin par le faîte étincelant du tombeau d'Alexandre. Sur les dalles de la chaussée, traînaient çà et là des couronnes effeuillées et des torches éteintes. On sentait dans l'air les souffles frais de la mer. Paphnuce arracha avec dégoût sa robe somptueuse et en foula les lambeaux sous ses pieds.

— Tu les a entendus, ma Thaïs ! s'écria-t-il Ils ont craché toutes les folies et toutes les abominations. Ils ont traîné le divin Créateur de toutes choses aux gémonies des démons de l'enfer, nié impudemment le bien et le mal, blasphémé Jésus et vanté Judas. Et le plus infâme de tous, le chacal des ténèbres, la bête puante, l'arien plein de corruption et de mort, a ouvert la bouche comme un sépulcre. Ma Thaïs, tu les as vues ramper vers toi, ces limaces immondes et te souiller de leur sueur gluante ; tu les as vues, ces brutes endormies sous les talons des esclaves ; tu les as vues, ces bêtes accouplées sur les tapis souillés de leurs vomissements ; tu l'as vu, ce vieillard insensé, répandre un sang plus vil que le vin répandu dans la débauche, et se jeter au sortir de l'orgie à la face du Christ inattendu !

Louanges à Dieu ! Tu as regardé l'erreur et tu as connu qu'elle était hideuse. Thaïs, Thaïs, Thaïs, rappelle-toi les folies de ces philosophes, et dis si tu veux délirer avec eux. Rappelle-toi les regards, les gestes, les rires de leurs dignes compagnes, ces deux guenons lascives et malicieuses, et dis si tu veux rester semblable à elles !

Thaïs, le cœur soulevé des dégoûts de cette nuit, et ressentant l'indifférence et la brutalité des hommes, la méchanceté des femmes, le poids des heures, soupirait :

— Je suis fatiguée à mourir, ô mon père ! Où trouver le repos ? Je me sens le front brûlant, la tête vide et les bras si las que je n'aurais pas la force de saisir le bonheur, si l'on venait le tendre à portée de ma main...

Paphnuce la regardait avec bonté :

— Courage, ô ma sœur : l'heure du repos se lève pour toi, blanche et pure comme ces vapeurs que tu vois monter des jardins et des eaux.

Ils approchaient de la maison de Thaïs et voyaient déjà, au-dessus du mur, les têtes des platanes et des térébinthes, qui entouraient la grotte des Nymphes, frissonner dans la rosée au souffle du matin. Une place publique était devant eux, déserte, entourée de stèles et de statues votives, et portant à ses extrémités des bancs de marbre en hémicycle, et que soutenaient des chimères. Thaïs se laissa tomber sur un de ces bancs. Puis, élevant vers le moine un regard anxieux, elle demanda :

— Que faut-il faire?

— Il faut, répondit le moine, suivre Celui qui est venu te chercher. Il te détache du siècle comme le vendangeur cueille la grappe qui pourrirait sur l'arbre et la porte au pressoir pour la changer en vin parfumé. Écoute : il est, à douze heures d'Alexandrie, vers l'Occident, non loin de la mer, un monastère de femmes dont la règle, chef-d'œuvre de sagesse, mériterait d'être mise en vers lyriques et chantée aux sons du théorbe et des tambourins. On peut dire justement que les femmes qui y sont soumises, posant les pieds à terre, ont le front dans le ciel. Elles mènent en ce monde la vie des anges. Elle veulent être pauvres afin que Jésus les aime, modestes afin qu'il les regarde, chastes afin qu'il les épouse.

Il les visite chaque jour en habit de jardinier, les pieds nus, ses belles mains ouvertes, et tel enfin qu'il se montra à Marie sur la voie du Tombeau. Or, je te conduirai aujourd'hui même dans ce monastère, ma Thaïs, et bientôt unie à ces saintes filles, tu partageras leurs célestes entretiens. Elles t'attendent comme une sœur. Au seuil du couvent, leur mère, la pieuse Albine, te donnera le baiser de paix et dira : « Ma fille, sois la bienvenue ! »

La courtisane poussa un cri d'admiration :

— Albine ! une fille des Césars ! La petite nièce de l'empereur Carus !

— Elle-même ! Albine qui, née dans la pourpre, revêtit la bure et, fille des maîtres du monde, s'éleva au rang de servante de Jésus-Christ. Elle sera ta mère.

Thaïs se leva et dit :

— Mène-moi donc à la maison d'Albine.

Et Paphnuce, achevant sa victoire :

— Certes je t'y conduirai et là, je t'enfermerai dans une cellule où tu pleureras tes péchés. Car il ne convient pas que tu te mêles aux filles d'Albine avant d'être lavée de toutes tes souillures. Je scellerai ta porte, et, bienheureuse prisonnière, tu attendras dans les larmes que Jésus lui-même vienne, en signe de pardon, rompre le sceau que j'aurai mis. N'en doute pas, il viendra, Thaïs ; et quel tressaillement agitera la chair de ton âme quand tu sentiras des doigts de lumière se poser sur tes yeux pour en essuyer les pleurs!

Thaïs dit pour la seconde fois :

— Mène-moi, mon père, à la maison d'Albine.

Le cœur inondé de joie, Paphnuce promena ses regards autour de lui et goûta presque sans crainte le plaisir de contempler les choses créées ; ses yeux buvaient délicieusement la lumière de Dieu, et des souffles inconnus passaient sur son front. Tout à coup, reconnaissant, à l'un des angles de la place publique, la petite porte par laquelle on entrait dans la maison de Thaïs, et songeant que les beaux arbres dont il admirait les cimes ombrageaient les jardins de la courtisane, il vit en pensée les impuretés qui y avaient souillé l'air, aujourd'hui si léger et si pur, et son âme en fut soudain si désolée qu'une rosée amère jaillit de ses yeux.

— Thaïs, dit-il, nous allons fuir sans tourner la tête. Mais nous ne laisserons pas derrière nous les instruments, les témoins, les complices de tes crimes passés, ces tentures épaisses, ces lits, ces tapis, ces urnes de parfums, ces lampes qui crieraient ton infamie? Veux-tu qu'animés par des démons, emportés par l'esprit maudit qui est en eux, ces meubles criminels courent après toi jusque dans le désert? Il n'est que trop vrai qu'on voit des tables de scandale, des sièges infâmes servir d'organes aux diables, agir, parler, frapper le sol et traverser les airs. Périsse tout ce qui vit ta honte! Hâte-toi, Thaïs! et, tandis que la ville est encore endormie, ordonne à tes esclaves de dresser au milieu de cette place un bûcher sur lequel nous brûlerons tout ce que ta demeure contient de richesses abominables.

Thaïs y consentit.

— Fais ce que tu veux, mon père, dit-elle. Je sais que les objets inanimés servent parfois de séjour aux esprits. La nuit, certains meubles parlent, soit en frappant des coups à intervalles réguliers, soit en jetant des petites lueurs semblables à des signaux. Mais cela n'est rien encore. N'as-tu pas remarqué, mon père, en entrant dans la grotte des Nymphes, à droite, une statue de femme nue et prête à se baigner? Un jour, j'ai vu de mes yeux cette statue tourner la tête comme une personne vivante et reprendre aussitôt son attitude ordinaire. J'en ai été glacée d'épouvante. Nicias, à qui j'ai conté ce prodige, s'est moqué de moi; pourtant il y a quelque magie en cette statue, car elle inspira de violents désirs à un certain Dalmate que ma beauté laissait insensible. Il est certain que j'ai vécu parmi des choses enchantées et que j'étais exposée aux plus grands périls, car on a vu des hommes étouffés par l'embrassement d'une statue d'airain. Pourtant, il est regrettable de détruire des ouvrages précieux faits avec une rare industrie, et si l'on brûle mes tapis et mes tentures, ce sera une grande perte. Il y en a dont la beauté des couleurs est vraiment admirable et qui ont coûté très cher à ceux qui me les ont donnés. Je possède également des coupes, des statues et des tableaux dont le prix est grand. Je ne crois pas qu'il faille les faire périr. Mais toi qui sais ce qui est nécessaire, fais ce que tu veux, mon père.

En parlant ainsi, elle suivit le moine jusqu'à la petite porte où tant de guirlandes et de couronnes avaient été suspendues et, l'ayant fait ouvrir, elle dit au portier d'appeler tous les esclaves de la maison. Quatre Indiens, gouverneurs des cuisines, parurent les premiers. Ils avaient tous quatre la peau jaune et tous quatre étaient borgnes. Ç'avait été pour Thaïs un grand travail et un grand amusement de réunir ces quatre esclaves de même race et atteints de la même infirmité. Quand ils servaient à table, ils excitaient la curiosité des convives, et Thaïs les forçait à conter leur histoire. Ils attendirent en silence. Leurs aides les suivaient. Puis vinrent les valets d'écurie, les veneurs, les porteurs de litière et les courriers aux jarrets de bronze, deux jardiniers velus comme des Priapes, six nègres d'un aspect féroce, trois esclaves grecs, l'un grammairien, l'autre poète et le troisième chanteur, Ils s'étaient tous rangés en ordre sur la place publique, quand accoururent les négresses curieuses, inquiètes, roulant de gros yeux ronds, la bouche fendue jusqu'aux anneaux de leurs oreilles. Enfin, rajustant leurs voiles et traînant languissamment leurs pieds, qu'entravaient de minces chaînettes d'or, parurent, l'air maussade, six belles esclaves blanches. Quand ils furent tous réunis, Thaïs leur dit en montrant Paphnuce :

— Faites ce que cet homme va vous ordonner, car l'esprit de Dieu est en lui et, si vous lui désobéissiez, vous tomberiez morts.

Elle croyait en effet, pour l'avoir entendu dire, que les saints du désert avaient le pouvoir de plonger dans la terre entr'ouverte et fumante les impies qu'ils frappaient de leur bâton.

Paphnuce renvoya les femmes et avec elles les esclaves grecs qui leur ressemblaient et dit aux autres :

— Apportez du bois au milieu de la place, faites un grand feu et jetez-y pêle-mêle tout ce que contient la maison et la grotte.

Surpris, ils demeuraient immobiles et consultaient leur maîtresse du regard. Et comme elle restait inerte et silencieuse, ils se pressaient les uns contre les autres, en tas, coude à coude, doutant si ce n'était pas une plaisanterie.

— Obéissez, dit le moine.

Plusieurs étaient chrétiens. Comprenant l'ordre qui leur était donné, ils allèrent chercher dans la maison du bois et des torches. Les autres les imitèrent sans déplaisir, car, étant pauvres, ils détestaient les richesses et avaient, d'instinct, le goût de la destruction. Comme déjà ils élevaient le bûcher, Paphnuce dit à Thaïs :

— J'ai songé un instant à appeler le trésorier de quelque église d'Alexandrie (si tant est qu'il en reste une seule digne encore du nom d'église et non souillée par les bêtes ariennes), et à lui donner tes biens, femme, pour les distribuer aux veuves et changer ainsi le gain du crime en trésor de justice. Mais cette pensée ne venait pas de Dieu, et je l'ai repoussée, et certes, ce serait trop grièvement offenser les bien-aimées de Jésus-Christ que de leur offrir les dépouilles de la luxure. Thaïs, tout ce que tu as touché doit être dévoré par le feu jusqu'à l'âme. Grâces au ciel, ces tuniques, ces voiles, qui virent des baisers plus innombrables que les rides de la mer, ne sentiront plus que les lèvres et les langues des flammes. Esclaves, hâtez-vous! Encore du bois! Encore des flambeaux et des torches! Et toi, femme, rentre dans ta maison, dépouille tes infâmes parures et va demander à la plus humble de tes esclaves, comme une faveur insigne, la tunique qu'elle revêt pour nettoyer les planchers.

Thaïs obéit. Tandis que les Indiens agenouillés soufflaient sur les tisons, les nègres jetaient dans le bûcher des coffres d'ivoire ou d'ébène ou de cèdre qui, s'entr'ouvrant, laissaient couler des couronnes, des guirlandes et des colliers. La fumée montait en colonne sombre comme dans les holocaustes agréables de l'ancienne loi. Puis le feu qui couvait, éclatant tout à coup, fit entendre un ronflement de bête monstrueuse, et des flammes presque invisibles commencèrent à dévorer leurs précieux aliments. Alors les serviteurs s'enhardirent à l'ouvrage; ils traînaient allégrement les riches tapis, les voiles brodés d'argent, les tentures fleuries. Ils bondissaient sous le poids des tables, des fauteuils, des coussins épais, des lits aux chevilles d'or. Trois robustes Éthiopiens accoururent tenant embrassées ces statues colorées des Nymphes dont l'une avait été aimée comme une mortelle ; et l'on eût dit des grands singes ravisseurs de femmes. Et quand, tombant des bras de ces monstres, les belles formes nues se brisèrent sur les dalles, on entendit un gémissement.

A ce moment, Thaïs parut, ses cheveux dénoués coulant à longs flots, nu-pieds et vêtue d'une tunique informe et grossière qui, pour avoir seulement touché son corps, s'imprégnait d'une volupté divine. Derrière elle, s'en venait un jardinier portant noyé, dans sa barbe flottante, un Éros d'ivoire.

Elle fit signe à l'homme de s'arrêter et s'approchant de Paphnuce, elle lui montra le petit dieu :

— Mon père, demanda-t-elle, faut-il aussi le jeter dans les flammes ? Il est d'un travail antique et merveilleux et il vaut cent fois son poids d'or. Sa perte serait irréparable, car il n'y aura plus jamais au monde un artiste capable de faire un si bel Éros. Considère aussi, mon père, que ce petit enfant est l'Amour et qu'il ne faut pas le traiter cruellement. Crois-moi : l'amour est une vertu et, si j'ai péché, ce n'est pas par lui, mon père, c'est contre lui. Jamais je ne regretterai ce qu'il m'a fait faire et je pleure seulement ce que j'ai fait malgré sa défense. Il ne permet pas aux femmes de se donner à ceux qui ne viennent point en son nom. C'est pour cela qu'on doit l'honorer. Vois, Paphnuce, comme ce petit Éros est joli! Comme il se cache avec grâce dans la barbe de ce jardinier! Un jour, Nicias, qui m'aimait alors, me l'apporta en me disant : « Il te parlera de moi. » Mais l'espiègle me parla d'un jeune homme que j'avais connu à Antioche et ne me parla pas de Nicias. Assez de richesses ont péri sur ce bûcher, mon père! Conserve cet Éros et place-le dans quelque monastère. Ceux qui le verront tourneront leur cœur vers Dieu, car l'Amour sait naturellement s'élever aux célestes pensées.

Le jardinier, croyant déjà le petit Éros sauvé, lui souriait comme à un enfant, quand Paphnuce, arrachant le dieu des bras qui le tenaient, le lança dans les flammes en s'écriant :

— Il suffit que Nicias l'ait touché pour qu'il répande tous les poisons.

Puis, saisissant lui-même à pleines mains les robes étincelantes, les manteaux de pourpre, les sandales d'or, les peignes, les strigiles, les miroirs, les lampes, les théorbes et les lyres, il les jetait dans ce brasier plus somptueux que le bûcher de Sardanapale, pendant que, ivres de la joie de détruire, les esclaves dansaient en poussant des hurlements sous une pluie de cendres et d'étincelles.

Un à un, les voisins, réveillés par le bruit, ouvraient leurs fenêtres et cherchaient, en se frottant les yeux, d'où venait tant de fumée. Puis ils descendaient à demi vêtus sur la place et s'approchaient du bûcher :

— Qu'est cela ? pensaient-ils.

Il y avait parmi eux des marchands auxquels Thaïs avait coutume d'acheter des parfums ou des étoffes, et ceux-là, tout inquiets, allongeant leur tête jaune et sèche, cherchaient à comprendre. Des jeunes débauchés qui, revenant de souper, passaient par là, précédés de leurs esclaves, s'arrêtaient, le front couronné de fleurs, la tunique flottante, et poussaient de grands cris. Cette foule de curieux, sans cesse accrue, sut bientôt que Thaïs, sous l'inspiration de l'abbé d'Antinoé, brûlait ses richesses avant de se retirer dans un monastère.

Les marchands songeaient :

— Thaïs quitte cette ville; nous ne lui vendrons plus rien; c'est une chose affreuse à penser. Que deviendrons-nous sans elle? Ce moine lui a fait perdre la raison. Il nous ruine. Pourquoi le laisse-t-on faire? A quoi servent les lois? Il n'y a donc plus de magistrats à Alexandrie? Cette Thaïs n'a souci ni de nous ni de nos femmes ni de nos pauvres enfants. Sa conduite est un scandale public. Il faut la contraindre à rester malgré elle dans cette ville.

Les jeunes gens songeaient de leur côté :

— Si Thaïs renonce aux jeux et à l'amour, c'en est fait de nos plus chers amusements. Elle était la gloire délicieuse, le doux honneur du théâtre. Elle faisait la joie de ceux mêmes qui ne la possédaient pas. Les femmes qu'on aimait, on les aimait en elle; il ne se donnait pas de baisers dont elle fût tout à fait absente, car elle était la volupté des voluptés, et la seule pensée qu'elle respirait parmi nous nous excitait au plaisir.

Ainsi pensaient les jeunes hommes, et l'un d'eux, nommé Cérons, qui l'avait tenue dans ses bras, criait au rapt et blasphémait le dieu

Christ. Dans tous les groupes, la conduite de Thaïs était sévèrement jugée :

— C'est une fuite honteuse !

— Un lâche abandon !

— Elle nous retire le pain de la bouche.

— Elle emporte la dot de nos filles.

— Il faudra bien au moins qu'elle paie les couronnes que je lui ai vendues.

— Et les soixante robes qu'elle m'a commandées.

— Elle doit à tout le monde.

— Qui représentera après elle Iphigénie, Électre et Polyxène ? Le beau Polybe lui-même n'y réussira pas comme elle.

— Il sera triste de vivre quand sa porte sera close.

— Elle était la claire étoile, la douce lune du ciel alexandrin.

Les mendiants les plus célèbres de la ville, aveugles, culs-de-jatte et paralytiques, étaient maintenant rassemblés sur la place ; et, se traînant dans l'ombre des riches, ils gémissaient :

— Comment vivrons-nous quand Thaïs ne sera plus là pour nous nourrir ? Les miettes de sa table rassasiaient tous les jours deux cents malheureux, et ses amants, qui la quittaient satisfaits, nous jetaient en passant des poignées de pièces d'argent.

Des voleurs, répandus dans la foule, poussaient des clameurs assourdissantes et bousculaient leurs voisins afin d'augmenter le désordre et d'en profiter pour dérober quelque objet précieux.

Seul, le vieux Taddée qui vendait la laine de Milet et le lin de Tarente, et à qui Thaïs devait une grosse somme d'argent, restait calme et silencieux au milieu du tumulte. L'oreille tendue et le regard oblique, il caressait sa barbe de bouc, et semblait pensif. Enfin, s'étant approché du jeune Cérons, il le tira par la manche et lui dit tout bas :

— Toi, le préféré de Thaïs, beau seigneur, montre-toi et ne souffre pas qu'un moine te l'enlève.

— Par Pollux et sa sœur, il ne le fera pas ! s'écria Cérons. Je vais parler à Thaïs et sans me flatter, je pense qu'elle m'écoutera un peu mieux que ce Lapithe barbouillé de suie. Place ! Place, canaille !

Et, frappant du poing les hommes, renversant les vieilles femmes, foulant aux pieds les petits enfants, il parvint jusqu'à Thaïs et la tirant à part :

— Belle fille, lui dit-il, regarde-moi, souviens-toi, et dis si vraiment tu renonces à l'amour.

Mais Paphnuce se jetant entre Thaïs et Cérons :

— Impie, s'écria-t-il, crains de mourir si tu touches à celle-ci : elle est sacrée, elle est la part de Dieu.

— Va-t'en, cynocéphale! répliqua le jeune homme furieux; laisse-moi parler à mon amie, sinon je traînerai par la barbe ta carcasse obscène jusque dans ce feu où je te grillerai comme une andouille.

Et il étendit la main sur Thaïs. Mais repoussé par le moine avec une raideur inattendue, il chancela et alla tomber à quatre pas en arrière, au pied du bûcher dans les tisons écroulés.

Cependant le vieux Taddée allait de l'un à l'autre, tirant l'oreille aux esclaves et baisant la main aux maitres, excitant chacun contre Paphnuce, et déjà il avait formé une petite troupe qui marchait résolument sur le moine ravisseur. Cérons se releva, le visage noirci, les cheveux brûlés, suffoqué de fumée et de rage. Il blasphéma les dieux et se jeta parmi les assaillants, derrière lesquels les mendiants rampaient en agitant leurs béquilles. Paphnuce fut bientôt enfermé dans un cercle de poings tendus, de bâtons levés et de cris de mort.

— Au gibet! le moine, au gibet!

— Non, jetez-le dans le feu. Grillez-le tout vif!

Ayant saisi sa belle proie, Paphnuce la serrait sur son cœur.

— Impies, criait-il d'une voix tonnante, n'essayez pas d'arracher la colombe à l'aigle du Seigneur. Mais plutôt imitez cette femme et, comme elle, changez votre fange en or. Renoncez, sur son exemple, aux faux biens que vous croyez posséder et qui vous possèdent. Hâtez-vous : les jours sont proches et la patience divine commence à se lasser. Repentez-vous, confessez votre honte, pleurez et priez. Marchez sur les pas de Thaïs. Détestez vos crimes qui sont aussi grands que les siens. Qui de vous, pauvres ou riches, marchands, soldats, esclaves, illustres citoyens, oserait se dire, devant Dieu, meilleur qu'une prostituée? Vous n êtes tous que de vivantes immondices et c'est par un miracle de la bonté céleste que vous ne vous répandez pas soudain en ruisseaux de boue.

Tandis qu'il parlait, des flammes jaillissaient de ses prunelles ; il semblait que des charbons ardents sortissent de ses lèvres, et ceux qui l'entouraient l'écoutaient malgré eux.

Mais le vieux Taddée ne restait point oisif. Il ramassait des pierres et des écailles d'huîtres, qu'il cachait dans un pan de sa tunique et, n'osant les jeter lui-même, il les glissait dans la main des mendiants. Bientôt les cailloux volèrent et une coquille, adroitement lancée, fendit le front de Paphnuce. Le sang, qui coulait sur cette sombre face de martyr, dégouttait, pour un nouveau baptême, sur la tête de la pénitente, et Thaïs, oppressée par l'étreinte du moine, sa chair délicate froissée contre le rude cilice, sentait courir en elle les frissons de l'horreur et de la volupté.

A ce moment, un homme élégamment vêtu, le front couronné d'ache, s'ouvrant un chemin au milieu des furieux, s'écria :

— Arrêtez ! arrêtez ! Ce moine est mon frère !

C'était Nicias qui, venant de fermer les yeux au philosophe Eucrite, et qui, passant sur cette place pour regagner sa maison, avait vu sans trop de surprise (car il ne s'étonnait de rien) le bûcher fumant, Thaïs vêtue de bure et Paphnuce lapidé.

Il répétait :

— Arrêtez, vous dis-je ; épargnez mon vieux condisciple ; respectez la chère tête de Paphnuce.

Mais, habitué aux subtils entretiens des sages, il n'avait point l'impérieuse énergie qui soumet les esprits populaires. On ne l'écouta point. Une grêle de cailloux et d'écailles tombait sur le moine qui, couvrant Thaïs de son corps, louait le Seigneur dont la bonté lui changeait les blessures en caresses. Désespérant de se faire entendre et trop assuré de ne pouvoir sauver son ami, soit par la force, soit par la persuasion, Nicias se résignait déjà à laisser faire aux dieux, en qui il avait peu de confiance, quand il lui vint en tête d'user d'un stratagème que son mépris des hommes lui avait tout à coup suggéré. Il détacha de sa ceinture sa bourse qui se trouvait gonflée d'or et d'argent, étant celle d'un homme voluptueux et charitable; puis il courut à tous ceux qui jetaient des pierres et fit sonner les pièces à leurs oreilles. Ils n'y prirent point garde d'abord, tant leur fureur était vive; mais peu à peu leurs regards se tournèrent vers l'or qui tintait et bientôt leurs bras amollis ne menacèrent plus leur victime. Voyant qu'il avait attiré leurs yeux et leurs âmes, Nicias ouvrit la bourse et se mit à jeter dans la foule quelques pièces d'or et d'argent. Les plus avides se baissèrent pour les ramasser. Le philosophe, heureux de ce premier succès, lança adroitement çà et là les deniers et les drachmes. Au son des pièces de métal qui rebondissaient sur le pavé, la troupe des persécuteurs se rua à terre. Mendiants, esclaves et marchands se vautraient à l'envi, tandis que, groupés autour de Cérons, les patriciens regardaient ce spectacle en éclatant de rire. Cérons lui-même y perdit sa colère. Ses amis encourageaient les rivaux prosternés, choisissaient des champions et faisaient des paris, et, quand naissaient des disputes, ils excitaient ces misérables comme on fait des chiens qui se battent. Un cul-de-jatte ayant réussi à saisir un drachme, des acclamations s'élevèrent jusqu'aux nues. Les jeunes hommes se mirent eux-mêmes à jeter des pièces de monnaie, et l'on ne vit plus sur toute la place qu'une infinité de dos qui, sous une pluie d'airain, s'entre-choquaient comme les lames d'une mer démontée. Paphnuce était oublié.

Nicias courut à lui, le couvrit de son manteau et l'entraîna avec Thaïs dans des ruelles où ils ne furent pas poursuivis. Ils coururent quelque temps en silence, puis, se jugeant hors d'atteinte, ils ralentirent le pas et Nicias dit d'un ton de raillerie un peu triste :

— C'est donc fait! Pluton ravit Proserpine, et Thaïs veut suivre loin de nous mon farouche ami.

— Il est vrai, Nicias, répondit Thaïs, je suis fatiguée de vivre avec des hommes comme toi, souriants, parfumés, bienveillants, égoïstes. Je suis lasse de tout ce que je connais, et je vais chercher l'inconnu. J'ai éprouvé que la joie n'était pas la joie et voici que cet homme m'enseigne qu'en la douleur est la véritable joie. Je le crois, car il possède la vérité.

— Et moi, âme amie, reprit Nicias, en souriant, je possède les vérités. Il n'en a qu'une ; je les ai toutes. Je suis plus riche que lui, et n'en suis, à vrai dire, ni plus fier ni plus heureux.

Et voyant que le moine lui jetait des regards flamboyants :

— Cher Paphnuce, ne crois pas que je te trouve extrêmement ridicule, ni même tout à fait déraisonnable. Et si je compare ma vie à la tienne, je ne saurais dire laquelle est préférable en soi. Je vais tout à l'heure prendre le bain que Crobyle et Myrtale m'auront préparé, je mangerai l'aile d'un faisan du Phase, puis je lirai, pour la centième fois, quelque fable milésienne ou quelque traité de Métrodore. Toi, tu regagneras ta cellule où, t'agenouillant comme un chameau docile, tu rumineras je ne sais quelles formules d'incantation depuis longtemps mâchées et remâchées, et le soir, tu avaleras des raves sans huile. Eh bien! très cher, en accomplissant ces actes, dissemblables quant aux apparences, nous obéirons tous deux au même sentiment, seul mobile de toutes les actions humaines ; nous rechercherons tous deux notre volupté et nous nous proposerons une fin commune : le bonheur, l'impossible bonheur! J'aurais donc mauvaise grâce à te donner tort, chère tête, si je me donne raison.

» Et toi, ma Thaïs, va et réjouis-toi, sois plus heureuse encore, s'il est possible, dans l'abstinence et dans l'austérité que tu ne l'as été dans la richesse et dans le plaisir. A tout prendre, je te proclame digne d'envie. Car si dans toute notre existence, obéissant à notre nature, nous n'avons, Paphnuce et moi, poursuivi qu'une seule espèce de satisfaction, tu auras goûté dans la vie, chère Thaïs, des voluptés contraires qu'il est rarement donné à la même personne de connaître. En vérité, je voudrais être pour une heure un saint de l'espèce de notre cher Paphnuce. Mais cela ne m'est point permis. Adieu donc, Thaïs! Va où te conduisent les puissances secrètes de ta nature et de ta destinée. Va, et emporte au loin les vœux de Nicias. J'en sais l'inanité; mais puis-je te donner mieux que des regrets stériles et de vains souhaits pour prix des illusions délicieuses qui m'enveloppaient jadis dans tes bras et dont il me reste l'ombre? Adieu, ma bienfaitrice! adieu, bonté qui s'ignore, vertu mystérieuse, volupté des hommes! adieu, la plus adorable des images que la nature ait jamais jetées, pour une fin inconnue, sur la face de ce monde décevant.

Tandis qu'il parlait, une sombre colère couvait dans le cœur du moine; elle éclata en imprécations.

— Va-t'en, maudit! Je te méprise et te hais! Va-t'en, fils de l'enfer, mille fois plus méchant que ces pauvres égarés qui, tout à l'heure, me jetaient des pierres avec des injures. Ils ne savaient pas ce qu'ils faisaient et la grâce de Dieu, que j'implore pour eux, peut un jour descendre dans leurs cœurs. Mais toi, détestable Nicias, tu n'es que venin perfide et poison acerbe. Le souffle de ta bouche exhale le désespoir et la mort. Un seul de tes sourires contient plus de blasphèmes qu'il n'en sort en tout un siècle des lèvres fumantes de Satan. Arrière, réprouvé!

Nicias le regardait avec tendresse.

— Adieu, mon frère, lui dit-il, et puisses-tu conserver jusqu'à l'évanouissement final les trésors de ta foi, de ta haine et de ton amour! Adieu! Thaïs : en vain tu m'oublieras, puisque je garde ton souvenir.

Et, les quittant, il s'en alla pensif par les rues tortueuses qui avoisinent la grande nécropole d'Alexandrie et qu'habitent les potiers funèbres. Leurs boutiques étaient pleines de ces figurines d'argile, peintes de couleurs claires, qui représentent des dieux et des déesses, des mimes, des femmes, de petits génies ailés, et qu'on a coutume d'ensevelir avec les morts. Il songea que peut-être quelques-uns de ces légers simulacres, qu'il voyait là de ses yeux, seraient les compagnons de son sommeil éternel; et il lui sembla qu'un petit Éros, sa tunique retroussée, riait d'un rire moqueur. L'idée de ses funérailles, qu'il voyait par avance, lui était pénible. Pour remédier à sa tristesse, il essaya de la philosophie et construisit un raisonnement :

— Certes, se dit-il, le temps n'a point de réalité. C'est une pure illusion de notre esprit. Or, comment, s'il n'existe pas, pourrait-il m'apporter ma mort?... Est-ce à dire que je vivrai éternellement? Non, mais j'en conclus que ma mort est, et fut toujours autant qu'elle sera jamais. Je ne la sens pas encore, pourtant elle est, et je ne dois pas la craindre, car ce serait folie de redouter la venue de ce qui est arrivé. Elle existe comme la dernière page d'un livre que je lis et que je n'ai pas fini.

Ce raisonnement l'occupa sans l'égayer tout le long de sa route; il avait l'âme noire quand, arrivé au seuil de sa maison, il entendit les rires clairs de Crobyle et de Myrtale, qui jouaient à la paume en l'attendant.

Paphnuce et Thaïs sortirent de la ville par la porte de la Lune et suivirent le rivage de la mer.

— Femme, disait le moine, toute cette grande mer bleue ne pourrait laver tes souillures.

Il lui parlait avec colère et mépris :

— Plus immonde que les lices et les laies, tu as prostitué aux païens et aux infidèles un corps que l'Éternel avait formé pour s'en faire un tabernacle, et tes impuretés sont telles que, maintenant que tu sais la vérité, tu ne peux plus unir tes lèvres ou joindre les mains sans que le dégoût de toi-même ne te soulève le cœur.

Elle le suivait docilement, par d'âpres chemins, sous l'ardent soleil. La fatigue rompait ses genoux et la soif enflammait son haleine. Mais, loin d'éprouver cette fausse pitié qui amollit les cœurs profanes, Paphnuce se réjouissait des souffrances expiatrices de cette chair qui avait péché. Dans le transport d'un saint zèle, il aurait voulu déchirer de verges ce corps qui gardait sa beauté comme un témoignage éclatant de son infamie. Ses méditations entretenaient sa pieuse fureur et, se rappelant que Thaïs avait reçu Nicias dans son lit, il en forma une idée si abominable que tout son sang reflua vers son cœur et que sa poitrine fut près de se rompre. Ses anathèmes, étouffés dans sa gorge, firent place à des grincements de dents. Il bondit, se dressa devant elle, pâle, terrible, plein de Dieu, la regarda jusqu'à l'âme, et lui cracha au visage.

Tranquille, elle s'essuya la face sans cesser de marcher. Maintenant il la suivait, attachant sur elle sa vue comme sur un abîme. Il allait, saintement irrité. Il méditait de venger le Christ afin que le Christ ne se vengeât pas, quand il vit une goutte de sang qui du pied de Thaïs coula sur le sable. Alors, il sentit la fraîcheur d'un souffle inconnu entrer dans son cœur ouvert, des sanglots lui montèrent abondamment aux lèvres, il pleura, il courut se prosterner devant elle, il l'appela sa sœur, il baisa ces pieds qui saignaient. Il murmura cent fois :

— Ma sœur, ma sœur, ma mère, ô très sainte!

Il pria :

— Anges du ciel, recueillez précieusement cette goutte de sang et portez-la devant le trône du Seigneur. Et qu'une anémone miraculeuse fleurisse sur le sable arrosé par le sang de Thaïs, afin que tous ceux qui verront cette fleur recouvrent la pureté du cœur et des sens! O sainte, sainte, très sainte Thaïs!

Comme il priait et prophétisait ainsi, un jeune garçon vint à passer sur un âne. Paphnuce lui ordonna de descendre, fit asseoir Thaïs sur l'âne, prit la bride et suivit le chemin commencé. Vers le soir, ayant rencontré un canal ombragé de beaux arbres, il attacha l'âne au tronc d'un dattier et, s'asseyant sur une pierre moussue, il rompit avec Thaïs un pain qu'ils mangèrent assaisonné de sel et d'hysope. Ils buvaient l'eau fraîche dans le creux de leur main et s'entretenaient de choses éternelles. Elle disait :

— Je n'ai jamais bu d'une eau si pure ni respiré un air si léger, et je sens que Dieu flotte dans les souffles qui passent.

Paphnuce répondait :

— Vois, c'est le soir, ô ma sœur. Les ombres bleues de la nuit couvrent les collines. Mais bientôt tu verras briller dans l'aurore les tabernacles de vie ; bientôt tu verras s'allumer les roses de l'éternel matin.

Ils marchèrent toute la nuit, et tandis que le croissant de la lune effleurait la cime argentée des flots, ils chantaient des psaumes et des cantiques. Quand le soleil se leva, le désert s'étendait devant eux comme une immense peau de lion sur la terre libyque. A la lisière du sable, des cellules blanches s'élevaient près des palmiers dans l'aurore.

— Mon père, demanda Thaïs, sont-ce là les tabernacles de vie ?

— Tu l'as dit, ma fille et ma sœur. C'est la maison du salut où je t'enfermerai de mes mains.

Bientôt ils découvrirent de toutes parts des femmes qui s'empressaient près des demeures ascétiques comme des abeilles autour des ruches. Il y en avait qui cuisaient le pain ou qui apprêtaient les légumes ; plusieurs filaient la laine, et la lumière du ciel descendait sur elles ainsi qu'un sourire de Dieu. D'autres méditaient à l'ombre des tamaris ; leurs mains blanches pendaient à leur côté, car, étant pleines d'amour, elles avaient choisi la part de Madeleine, et elles n'accomplissaient pas d'autres œuvres que la prière, la contemplation et l'extase. C'est pourquoi on les nommait les Maries et elles étaient vêtues de blanc. Et celles qui travaillaient de leurs mains étaient appelées les Marthes et portaient des robes bleues. Toutes étaient voilées, mais les plus jeunes laissaient glisser sur leur front des boucles de cheveux ; et il faut croire que c'était malgré elles, car la règle ne le permettait pas. Une dame très vieille, grande, blanche, allait de cellule en cellule, appuyée sur un sceptre de bois dur. Paphnuce s'approcha d'elle avec respect, lui baisa le bord de son voile, et dit :

— La paix du Seigneur soit avec toi, vénérable Albine! J'apporte à la ruche dont tu es la reine une abeille que j'ai trouvée perdue sur un chemin sans fleurs. Je l'ai prise dans le creux de ma main et réchauffée de mon souffle. Je te la donne.

Et il lui désigna du doigt la comédienne, qui s'agenouilla devant la fille des Césars.

Albine arrêta un moment sur Thaïs son regard perçant, lui ordonna de se relever, la baisa au front, puis, se tournant vers le moine :

— Nous la placerons, dit-elle, parmi les Maries.

Paphnuce lui conta alors par quelles voies Thaïs avait été conduite à la maison du salut et il demanda qu'elle fût d'abord enfermée dans une cellule. L'abbesse y consentit, elle conduisit la pénitente dans une cabane restée vide depuis la mort de la vierge Læta qui l'avait sanctifiée. Il n'y avait dans l'étroite chambre qu'un lit, une table et une cruche, et Thaïs, quand elle posa le pied sur le seuil, fut pénétrée d'une joie infinie.

— Je veux moi-même clore la porte, dit Paphnuce, et poser le sceau que Jésus viendra rompre de ses mains.

Il alla prendre au bord de la fontaine une poignée d'argile humide, y mit un de ses cheveux avec un peu de salive et l'appliqua sur une des fentes de l'huis. Puis, s'étant approché de la fenêtre près de laquelle Thaïs se tenait paisible et contente, il tomba à genoux, loua par trois fois le Seigneur et s'écria :

— Qu'elle est aimable celle qui marche dans les sentiers de vie! Que ses pieds sont beaux et que son visage est resplendissant!

Il se leva, baissa sa cucule sur ses yeux et s'éloigna lentement.

Albine appela une de ses vierges.

— Ma fille, lui dit-elle, va porter à Thaïs ce qui lui est nécessaire : du pain, de l'eau et une flûte à trois trous.

III

L'EUPHORBE

L'EUPHORBE

Paphnuce était de retour au saint désert. Il avait pris, vers Athribis, le bateau qui remontait le Nil pour porter des vivres au monastère de l'abbé Sérapion. Quand il débarqua, ses disciples s'avancèrent au-devant de lui avec de grandes démonstrations de joie. Les uns levaient les bras au ciel; les autres, prosternés à terre, baisaient les sandales de l'abbé. Car ils savaient déjà ce que le saint avait accompli dans Alexandrie. C'est ainsi que les moines recevaient ordinairement, par des voies inconnues et rapides, les avis intéressant la sûreté et la gloire de l'Église. Les nouvelles couraient dans le désert avec la rapidité du simoun.

Et tandis que Paphnuce s'enfonçait dans les sables, ses disciples le suivaient en louant le Seigneur. Flavien, qui était l'ancien de ses frères, saisi tout à coup d'un pieux délire, se mit à chanter un cantiqne inspiré :

— Jour béni ! Voici que notre père nous est rendu !

» Il nous revient, chargé de nouveaux mérites dont le prix nous sera compté !

» Car les vertus du père sont la richesse des enfants et la sainteté de l'abbé embaume toutes les cellules.

» Paphnuce, notre père, vient de donner à Jésus-Christ une nouvelle épouse.

» Il a changé par son art merveilleux une brebis noire en brebis blanche.

» Et voici qu'il nous revient chargé de nouveaux mérites.

» Semblable à l'abeille de l Arsinoïtide, qu'alourdit le nectar des fleurs.

» Comparable au bélier de Nubie, qui peut à peine supporter le poids de sa laine abondante.

» Célébrons ce jour en assaisonnant nos mets avec de l'huile !

Parvenus au seuil de la cellule abbatiale, ils se mirent tous à genoux et dirent :

— Que notre père nous bénisse et qu'il nous donne à chacun une mesure d'huile pour fêter son retour !

Seul, Paul le Simple, resté debout, demandait : « Quel est cet homme? » et ne reconnaissait point Paphnuce. Mais personne ne prenait garde à ce qu'il disait, parce qu'on le savait dépourvu d'intelligence, bien que rempli de piété.

L'abbé d'Antinoé, renfermé dans sa cellule, songea :

— J'ai donc enfin regagné l'asile de mon repos et de ma félicité. Je suis donc rentré dans la citadelle de mon contentement. D'où vient que ce cher toit de roseaux ne m'accueille point en ami, et que les murs ne me disent pas : Sois le bienvenu ! Rien, depuis mon départ, n'est changé dans cette demeure d'élection. Voici ma table et mon lit. Voici la tête de momie qui m'inspira tant de fois des pensées salutaires, et voici le livre où j'ai si souvent cherché les images de Dieu. Et pourtant je ne retrouve rien de ce que j'ai laissé. Les choses m'apparaissent tristement dépouillées de leurs grâces coutumières, et il me semble que je les vois aujourd'hui pour la première fois. En regardant cette table et cette couche, que j'ai jadis taillées de mes mains, cette tête noire et desséchée, ces rouleaux de papyrus remplis des dictées de Dieu, je crois voir les meubles d'un mort. Après les avoir tant connus, je ne les reconnais pas. Hélas! puisqu'en réalité rien n'est changé autour de moi, c'est moi qui ne suis plus celui que j'étais. Je suis un autre. Le mort, c'était moi! Qu'est-il devenu, mon Dieu? Qu'a-t-il emporté? Que m'a-t-il laissé? Et qui suis-je?

Et il s'inquiétait surtout de trouver malgré lui que sa cellule était petite, tandis qu'en la considérant par les yeux de la foi, on devait l'estimer immense, puisque l'infini de Dieu y commençait.

S'étant mis à prier, le front contre terre, il recouvra un peu de joie. Il y avait à peine une heure qu'il était en oraison, quand l'image de Thaïs passa devant ses yeux. Il en rendit grâces à Dieu :

— Jésus! c'est toi qui me l'envoies. Je reconnais là ton immense bonté : tu veux que je me plaise, m'assure et me rassérène à la vue de celle que je t'ai donnée. Tu présentes à mes yeux son sourire maintenant désarmé, sa grâce désormais innocente, sa beauté dont j'ai arraché l'aiguillon. Pour me flatter, mon Dieu, tu me la montres telle que je l'ai ornée et purifiée à ton intention, comme un ami rappelle en souriant à son ami le présent agréable qu'il en a reçu. C'est pourquoi je vois cette femme avec plaisir, assuré que sa vision vient de toi, Tu veux bien ne pas oublier que je te l'ai donnée, mon Jésus. Garde-la puisqu'elle te plaît et ne souffre pas surtout que ses charmes brillent pour d'autres que pour toi.

Pendant toute la nuit il ne put dormir et il vit Thaïs plus distinctement qu'il ne l'avait vue dans la grotte des Nymphes. Il se rendit témoignage, disant :

— Ce que j'ai fait, je l'ai fait pour la gloire de Dieu.

Pourtant, à sa grande surprise, il ne goûtait pas la paix du cœur. Il soupirait :

— Pourquoi es-tu triste, mon âme, et pourquoi me troubles-tu?

Et son âme demeurait inquiète. Il resta trente jours dans cet état de tristesse qui présage au solitaire de redoutables épreuves. L'image de Thaïs ne le quittait ni le jour ni la nuit. Il ne la chassait point parce qu'il pensait encore qu'elle venait de Dieu et que c'était l'image d'une sainte. Mais, un matin, elle le visita en rêve, les cheveux ceints de violettes, et si redoutable dans sa douceur, qu'il en cria d'épouvante et se réveilla couvert d'une sueur glacée. Les yeux encore cillés par le sommeil, il sentit un souffle humide et chaud lui passer sur le visage : un petit chacal, les deux pattes posées au chevet du lit, lui soufflait au nez son haleine puante et riait du fond de sa gorge.

Paphnuce en éprouva un immense étonnement et il lui sembla qu'une tour s'abîmait sous ses pieds. Et, en effet, il tombait du haut de sa confiance écroulée. Il fut quelque temps incapable de penser ; puis, ayant recouvré ses esprits, sa méditation ne fit qu'accroître son inquiétude.

— De deux choses l'une, se dit-il, ou bien cette vision, comme les précédentes, vient de Dieu; elle était bonne et c'est ma perversité naturelle qui l'a gâtée, comme le vin s'aigrit dans une tasse impure. J'ai, par mon indignité, changé l'édification en scandale, ce dont le chacal diabolique a immédiatement tiré un grand avantage. Ou bien cette vision vient, non pas de Dieu, mais, au contraire, du diable, et elle était empestée. Et dans ce cas, je doute à présent si les précédentes avaient, comme je l'ai cru, une céleste origine. Je suis donc incapable d'une sorte de discernement, qui est nécessaire à l'ascète. Dans les deux cas, Dieu me marque un éloignement dont je sens l'effet sans m'en expliquer la cause.

Il raisonnait de la sorte et demandait avec angoisse :

— Dieu juste, à quelles épreuves réserves-tu tes serviteurs, si les apparitions de tes saintes sont un danger pour eux? Fais-moi connaître, par un signe intelligible, ce qui vient de toi et ce qui vient de l'Autre !

Et comme Dieu, dont les desseins sont impénétrables, ne jugea pas convenable d'éclairer son serviteur, Paphnuce, plongé dans le doute, résolut de ne plus songer à Thaïs. Mais sa résolution demeura stérile. L'absente était sur lui. Elle le regardait tandis qu'il lisait, qu'il méditait, qu'il priait ou qu'il contemplait. Son approche idéale était précédée par un bruit léger, tel que celui d'une étoffe qu'une femme froisse en marchant, et ces visions avaient une exactitude que n'offrent point les réalités, lesquelles sont par elles-mêmes mouvantes et confuses, tandis que les fantômes, qui procèdent de la solitude, en portent les profonds caractères et présentent une fixité puissante. Elle venait à lui sous diverses apparences ; tantôt pensive, le front ceint de sa dernière couronne périssable, vêtue comme au banquet d'Alexandrie, d'une robe couleur de mauve, semée de fleurs d'argent; tantôt voluptueuse dans le nuage de ses voiles légers et baignée encore des ombres tièdes de la grotte des Nymphes ; tantôt pieuse et rayonnant, sous la bure, d'une joie céleste; tantôt tragique, les yeux nageant dans l'horreur de la mort et montrant sa poitrine nue, parée du sang de son cœur ouvert. Ce qui l'inquiétait le plus dans ces visions, c'était que les couronnes, les tuniques, les voiles, qu'il avait brûlés de ses propres mains pussent ainsi revenir ; il lui devenait évident que ces choses avaient une âme impérissable et il s'écriait :

— Voici que les âmes innombrables des péchés de Thaïs viennent à moi !

Quand il détournait la tête, il sentait Thaïs derrière lui et il n'en éprouvait que plus d'inquiétude. Ses misères étaient cruelles. Mais comme son âme et son corps restaient purs au milieu des tentations, il espérait en Dieu et lui faisait de tendres reproches.

— Mon Dieu, si je suis allé la chercher si loin parmi les gentils, c'était pour toi, non pour moi. Il ne serait pas juste que je pâtisse de ce que j'ai fait dans ton intérêt. Protège-moi, mon doux Jésus! mon Sauveur, sauve-moi! Ne permets pas que le fantôme accomplisse ce que n'a point accompli le corps. Quand j'ai triomphé de la chair, ne souffre pas que l'ombre me terrasse. Je connais que je suis exposé présentement à des dangers plus grands que ceux que je courus jamais. J'éprouve et je sais que le rêve a plus de puissance que la réalité. Et comment en pourrait-il être autrement, puisqu'il est lui-même une réalité supérieure? Il est l'âme des choses. Platon lui-même, bien qu'il ne fût qu'un idolâtre, a reconnu l'existence propre des idées. Dans ce banquet des démons où tu m'as accompagné, Seigneur, j'ai entendu des hommes, il est vrai, souillés de crimes, mais non point, certes, dénués d'intelligence, s'accorder à reconnaître que nous percevons dans la solitude, dans la méditation et dans l'extase des objets véritables; et ton Écriture, mon Dieu, atteste maintes fois la vertu des songes et la force des visions formées, soit par toi, Dieu splendide, soit par ton adversaire.

Un homme nouveau était en lui et maintenant il raisonnait avec Dieu, et Dieu ne se hâtait point de l'éclairer. Ses nuits n'étaient plus qu'un long rêve et ses jours ne se distinguaient point des nuits. Un matin, il se réveilla en poussant des soupirs tels qu'il en sort, à la clarté de la lune, des tombeaux qui recouvrent les victimes des crimes. Thaïs était venue, montrant ses pieds sanglants, et tandis qu'il pleurait, elle s'était glissée dans sa couche. Il ne lui restait plus de doutes : l'image de Thaïs était une image impure.

Le cœur soulevé de dégoût, il s'arracha de sa couche souillée et se cacha la face dans les mains, pour ne plus voir le jour. Les heures coulaient sans emporter sa honte. Tout se taisait dans la cellule. Pour la première fois depuis de longs jours, Paphnuce était seul. Le fantôme l'avait enfin quitté et son absence même était épouvantable. Rien, rien pour le distraire du souvenir du songe. Il pensait, plein d'horreur :

— Comment ne l'ai-je point repoussée? Comment ne me suis-je pas arraché de ses bras froids et de ses genoux brûlants?

Il n'osait plus prononcer le nom de Dieu près de cette couche abominable et il craignait que, sa cellule étant profanée, les démons n'y pénétrassent librement à toute heure. Ses craintes ne le trompaient point. Les sept petits chacals, retenus naguère sur le seuil, entrèrent à la file et s'allèrent blottir sous le lit. A l'heure de vêpres, il en vint un huitième dont l'odeur était infecte. Le lendemain, un neuvième se joignit aux autres et bientôt il y en eut trente, puis soixante, puis quatre-vingts. Ils se faisaient plus petits à mesure qu'ils se multipliaient et, n'étant pas plus gros que des rats, ils couvraient l'aire, la couche et l'escabeau. Un d'eux, ayant sauté sur la tablette de bois placée au chevet du lit, se tenait les quatre pattes réunies sur la tête de mort et regardait le moine avec des yeux ardents. Et il venait chaque jour de nouveaux chacals.

Pour expier l'abomination de son rêve et fuir les pensées impures, Paphnuce résolut de quitter sa cellule, désormais immonde, et de se livrer au fond du désert à des austérités inouïes, à des travaux singuliers, à des œuvres très neuves. Mais avant d'accomplir son dessein, il se rendit auprès du vieillard Palémon, afin de lui demander conseil.

Il le trouva qui, dans son jardin, arrosait ses laitues. C'était au déclin du jour. Le Nil était bleu et coulait au pied des collines violettes. Le saint homme marchait doucement pour ne pas effrayer une colombe qui s'était posée sur son épaule.

— Le Seigneur, dit-il, soit avec toi, frère Paphnuce ! Admire sa bonté : il m'envoie les bêtes qu'il a créées pour que je m'entretienne avec elles de ses œuvres et afin que je le glorifie dans les oiseaux du ciel. Vois cette colombe, remarque les nuances changeantes de son cou, et dis si ce n'est pas un bel ouvrage de Dieu. Mais n'as-tu pas, mon frère, à m'entretenir de quelque pieux sujet ? S'il en est ainsi, je poserai là mon arrosoir et je t'écouterai.

Paphnuce conta au vieillard son voyage, son retour, les visions de ses jours, les rêves de ses nuits, sans omettre le songe criminel et la foule des chacals.

— Ne penses-tu pas, mon père, ajouta-t-il, que je dois m'enfoncer dans le désert, afin d'y accomplir des travaux extraordinaires et d'étonner le diable par mes austérités ?

— Je ne suis qu'un pauvre pécheur, répondit Palémon, et je connais mal les hommes, ayant passé toute ma vie dans ce jardin, avec des gazelles, de petits lièvres et des pigeons. Mais il me semble, mon frère, que ton mal vient surtout de ce que tu as passé sans ménagement des agitations du siècle au calme de la solitude. Ces brusques passages ne peuvent que nuire à la santé de l'âme. Il en est de toi, mon frère, comme d'un homme qui s'expose presque dans le même temps à une grande chaleur et à un grand froid. La toux l'agite et la fièvre le tourmente. A ta place, frère Paphnuce, loin de me retirer tout de suite dans quelque désert affreux, je prendrais les distractions qui conviennent à un moine et à un saint abbé. Je visiterais les monastères du voisinage. Il y en a d'admirables, à ce que l'on rapporte. Celui de l'abbé Sérapion contient, m'a-t-on dit, mille quatre cent trente-deux cellules, et les moines y sont divisés en autant de légions qu'il y a de lettres

se retourna et vit le bon jardinier qui arrosait ses salades, tandis que la colombe se balançait sur son dos arrondi. A cette vue il fut pris de l'envie de pleurer.

En rentrant dans sa cellule, il y trouva un étrange fourmillement. On eût dit des grains de sable agités par un vent furieux, et il reconnut que c'était des myriades de petits chacals. Cette nuit-là, il vit en songe une haute colonne de pierre, surmontée d'une figure humaine et il entendit une voix qui disait :

— Monte sur cette colonne !

A son réveil, persuadé que ce songe lui était envoyé du ciel, il assembla ses disciples et leur parla de la sorte :

— Mes fils bien-aimés, je vous quitte pour aller où Dieu m'envoie. Pendant mon absence, obéissez à Flavien comme à moi-même et prenez soin de notre frère Paul. Soyez bénis. Adieu.

Tandis qu'il s'éloignait, ils demeuraient prosternés à terre et, quand ils relevèrent la tête, ils virent sa grande forme noire à l'horizon des sables.

Il marcha jour et nuit, jusqu'à ce qu'il eût atteint les ruines de ce temple bâti jadis par les idolâtres et dans lequel il avait dormi parmi les scorpions et les sirènes lors de son voyage merveilleux. Les murs couverts de signes magiques étaient debout. Trente fûts gigantesques qui se terminaient en têtes humaines ou en fleurs de lotus soutenaient encore d'énormes poutres de pierre. Seule à l'extrémité du temple, une de ces colonnes avait secoué son faix antique et se dressait libre. Elle avait pour chapiteau la tête d'une femme aux yeux longs, aux joues rondes, qui souriait, portant au front des cornes de vache.

Paphnuce en la voyant reconnut la colonne qui lui avait été montrée dans son rêve et il l'estima haute de trente-deux coudées. S'étant rendu dans le village voisin, il fit faire une échelle de cette hauteur et, quand l'échelle fut appliquée à la colonne, il y monta, s'agenouilla sur le chapiteau et dit au Seigneur :

— Voici donc, mon Dieu, la demeure que tu m'as choisie. Puissé-je y rester en ta grâce jusqu'à l'heure de ma mort.

Il n'avait point pris de vivres, s'en remettant à la Providence divine et comptant que des paysans charitables lui donneraient de quoi subsister. Et en effet, le lendemain, vers l'heure de none, des femmes vinrent avec leurs enfants, portant des pains, des dattes et de l'eau fraîche, que les jeunes garçons montèrent jusqu'au faîte de la colonne.

Le chapiteau n'était pas assez large pour que le moine pût s'y étendre tout de son long, en sorte qu'il dormait les jambes croisées et la tête contre la poitrine, et le sommeil était pour lui une fatigue plus cruelle que la veille. A l'aurore, les éperviers l'effleuraient de leurs ailes, et il se réveillait plein d'angoisse et d'épouvante.

Il se trouva que le charpentier, qui avait fait l'échelle, craignait Dieu. Ému à la pensée que le saint était exposé au soleil et à la pluie, et redoutant qu'il ne vînt à choir pendant son sommeil, cet homme pieux établit sur la colonne un toit et une balustrade.

Cependant le renom d'une si merveilleuse existence se répandait de village en village et les laboureurs de la vallée venaient, le dimanche, avec leurs femmes et leurs enfants contempler le stylite. Les disciples de Paphnuce ayant appris avec admiration le lieu de sa retraite sublime, se rendirent auprès de lui et obtinrent la faveur de se bâtir des cabanes au pied de la colonne. Chaque matin, ils venaient se ranger en cercle autour du maître qui leur faisait entendre des paroles d'édification :

— Mes fils, leur disait-il, demeurez semblables à ces petits enfants que Jésus aimait. Là est le salut. Le péché de la chair est la source et le principe de tous les péchés : ils sortent de lui comme d'un père. L'orgueil, l'avarice, la paresse, la colère et l'envie sont sa postérité bien-aimée. Voici ce que j'ai vu dans Alexandrie : j'ai vu les riches emportés par le vice de luxure qui, semblable à un fleuve à la barbe limoneuse, les poussait dans le gouffre amer.

Les abbés Ephrem et Sérapion, instruits d'une telle nouveauté, voulurent la voir de leurs yeux. Découvrant au loin sur le fleuve la voile en triangle qui les amenait vers lui, Paphnuce ne put se défendre de penser que Dieu l'avait érigé en exemple aux solitaires. A sa vue, les deux saints abbés ne dissimulèrent point leur surprise ; s'étant consultés, ils tombèrent d'accord pour blâmer une pénitence si extraordinaire, et ils exhortèrent Paphnuce à descendre.

— Un tel genre de vie est contraire à l'usage, disaient-ils ; il est singulier et hors de toute règle.

Mais Paphnuce leur répondit :

— Qu'est-ce donc que la vie monacale sinon une vie prodigieuse? Et les travaux du moine ne doivent-ils pas être singuliers comme lui-même? C'est par un signe de Dieu que je suis monté ici ; c'est un signe de Dieu qui m'en fera descendre.

Tous les jours des religieux venaient par troupe se joindre aux disciples de Paphnuce et se bâtissaient des abris autour de l'ermitage aérien. Plusieurs d'entre eux, pour imiter le saint, se hissèrent sur les décombres du temple ; mais blâmés de leurs frères et vaincus par la fatigue, ils renoncèrent bientôt à ces pratiques.

Les pèlerins affluaient. Il y en avait qui venaient de très loin et ceux-là avaient faim et soif. Une pauvre veuve eut l'idée de leur vendre de l'eau fraîche et des pastèques. Adossée à la colonne, derrière ses bouteilles de terre rouge, ses tasses et ses fruits, sous une toile à raies bleues et blanches, elle criait : Qui veut boire? A l'exemple de cette veuve, un boulanger apporta des briques et construisit un four tout à côté, dans l'espoir de vendre des pains et des gâteaux aux étrangers. Comme la foule des visiteurs grossissait sans cesse et que les habitants des grandes villes de l'Égypte commençaient à venir, un homme avide de gain éleva un caravansérail pour loger les maîtres avec leurs serviteurs, leurs chameaux et leurs mulets. Il y eut bientôt devant la colonne un marché où les pêcheurs du Nil apportaient leurs poissons et les jardiniers leurs légumes. Un barbier, qui rasait les gens en plein air, égayait la foule par ses joyeux propos. Le vieux temple, si longtemps enveloppé de silence et de paix, se remplit des mouvements et des rumeurs innombrables de la vie. Les cabaretiers transformaient en caves les salles souterraines et clouaient aux antiques piliers des enseignes surmontées de l'image du saint homme Paphnuce, et portant cette inscription en grec et en égyptien : *On vend ici du vin de grenades, du vin de figues et de la vraie bière de Cilicie.* Sur les murs, sculptés de figures antiques, les marchands suspendaient des guirlandes d'oignons et des poissons fumés, des lièvres morts et des moutons écorchés. Le soir, les vieux hôtes des ruines, les rats, s'enfuyaient en longue file vers le fleuve, tandis que les ibis, inquiets, allongeant le cou, posaient une patte incertaine sur les hautes corniches vers lesquelles montaient la fumée des cuisines, les appels des buveurs et les cris des servantes. Tout alentour, des arpenteurs traçaient des rues, des maçons bâtissaient des couvents, des chapelles, des églises. Au bout de six mois, une ville était fondée, avec un corps de garde, un tribunal, une prison et une école tenue par un vieux scribe aveugle.

Les pèlerins succédaient sans cesse aux pèlerins. Les évêques et les chorévêques accouraient, pleins d'admiration. Le patriarche d'Antioche, qui se trouvait alors en Égypte, vint avec tout son clergé. Il approuva hautement la conduite si extraordinaire du stylite et les chefs des Églises de Lybie suivirent, en l'absence d'Athanase, le sentiment du patriarche. Ce qu'ayant appris, les abbés Ephrem et Sérapion vinrent s'excuser aux pieds de

Paphnuce de leurs premières défiances. Paphnuce leur répondit :

— Sachez, mes frères, que la pénitence que j'endure est à peine égale aux tentations qui me sont envoyées et dont le nombre et la force m'étonnent. Un homme, à le voir du dehors, est petit, et, du haut du socle où Dieu m'a porté, je vois les êtres humains s'agiter comme des fourmis. Mais à le considérer en dedans, l'homme est immense : il est grand comme le monde, car il le contient. Tout ce qui s'étend devant moi, ces monastères, ces hôtelleries, ces barques sur le fleuve, ces villages, et ce que je découvre au loin de champs, de canaux, de sables et de montagnes, tout cela n'est rien au regard de ce qui est en moi. Je porte dans mon cœur des villes innombrables et des déserts illimités. Et le mal, le mal et la mort, étendus sur cette immensité, la couvrent comme la nuit couvre la terre. Je suis à moi seul un univers de pensées mauvaises.

Il parlait ainsi parce que le désir de la femme était en lui.

Le septième mois, il vint d'Alexandrie, de Bubaste et de Saïs des femmes, qui longtemps stériles, espéraient obtenir des enfants par l'intercession du saint homme et la vertu de la stèle. Elles frottaient contre la pierre leurs ventres inféconds. Puis ce furent, à perte de vue, des chariots, des litières, des brancards qui s'arrêtaient, se pressaient, se poussaient sous l'homme de Dieu. Il en sortait des malades effrayants à voir. Des mères présentaient à Paphnuce leurs jeunes garçons dont les membres étaient retournés, les yeux révulsés, la bouche écumeuse et la voix rauque. Il imposait sur eux les mains. Des aveugles s'approchaient, les bras allongés, et levaient vers lui, au hasard, leur face percée de deux trous sanglants. Des paralytiques lui montraient l'immobilité pesante, la maigreur mortelle et le raccourcissement hideux de leurs membres; des boiteux lui présentaient leur pied-bot; des cancéreuses prenant leur poitrine à deux mains, découvraient devant lui leur sein dévoré par l'invisible vautour. Des femmes hydropiques se faisaient déposer à terre, et il semblait qu'on déchargeât des outres. Il les bénissait. Des Nubiens, atteints de la lèpre éléphantine, avançaient d'un pas lourd et le regardaient avec des yeux en pleurs sur un visage inanimé. Il faisait sur eux le signe de la croix. On lui porta sur une civière une jeune fille d'Aphroditopolis qui, après avoir vomi du sang, dormait depuis trois jours. Elle semblait une image de cire et ses parents, qui la croyaient morte, avaient posé une palme sur sa poitrine. Paphnuce, ayant prié Dieu, la jeune fille souleva la tête et ouvrit les yeux.

Comme le peuple publiait partout les miracles opérés par le saint, les malheureux atteints du mal que les Grecs nomment le mal divin, accouraient de toutes les parties d'Égypte en légions innombrables. Dès qu'ils apercevaient la stèle, ils étaient saisis de convulsions, se roulaient à terre, se cabraient, se mettaient en boule. Et, chose à peine croyable ! les assistants, agités à leur tour par un violent délire, imitaient les contorsions des épileptiques. Moines et pèlerins, hommes, femmes, se vautraient, se débattaient pêle-mêle, les membres tordus, la bouche écumeuse, avalant de la terre à poignée et prophétisant. Et Paphnuce, du haut de sa colonne, sentait un frisson lui secouer les membres et criait vers Dieu :

— Je suis le bouc émissaire et je prends en moi toutes les impuretés de ce peuple, et c'est pourquoi, Seigneur, mon corps est rempli de mauvais esprits.

Chaque fois qu'un malade s'en allait guéri, les assistants l'acclamaient, le portaient en triomphe et ne cessaient de répéter :

— Nous venons de voir une autre fontaine de Siloé.

Déjà des centaines de béquilles pendaient à la colonne miraculeuse ; des femmes reconnaissantes y suspendaient des couronnes et des images votives. Des Grecs y traçaient des distiques ingénieux, et comme chaque pèlerin venait y graver son nom, la pierre fut bientôt couverte à hauteur d'homme d'une infinité de caractères latins, grecs, coptes, puniques, hébreux, syriaques et magiques.

Quand vinrent les fêtes de Pâques, il y eut dans cette cité du miracle une telle affluence de peuple que les vieillards se crurent revenus au temps des mystères antiques. On voyait se mêler, se confondre sur une vaste étendue la robe bariolée des Égyptiens, le burnous des Arabes, le pagne blanc des Nubiens, le man eau court des Grecs, la toge aux longs plis des Romains, les sayons et les braies écarlates des Barbares et les tuniques lamées d'or des courtisanes. Des femmes voilées passaient sur leur âne, précédées d'eunuques noirs qui leur frayaient un chemin à coups de bâton. Des acrobates, ayant étendu un tapis à terre, faisaient des tours d'adresse et jonglaient avec élégance devant un cercle de spectateurs silencieux. Des charmeurs de serpents, les bras allongés, déroulaient leurs ceintures vivantes. Toute cette foule brillait, scintillait, poudroyait, tintait, clamait, grondait. Les imprécations des chameliers qui frappaient leurs bêtes, les cris des marchands qui vendaient des amulettes contre la lèpre et le mauvais œil, la psalmodie des moines qui chantaient des versets de l'Écriture, les miaulements des femmes tombées en crise prophétique, les glapissements des mendiants qui répétaient d'antiques chansons de harem, le bêlement des moutons, le braiement des ânes, les appels des marins aux passagers attardés, tous ces bruits confondus faisaient un vacarme assourdissant, que dominait encore la voix stridente des petits négrillons nus, courant partout, pour offrir des dattes fraîches.

Et tous ces êtres divers s'étouffaient sous le ciel blanc, dans un air épais, chargé du parfum des femmes, de l'odeur des nègres, de la fumée des fritures et des vapeurs des gommes que les dévotes achetaient à des bergers pour les brûler devant le saint.

La nuit venue, de toutes parts s'allumaient des feux, des torches, des lanternes, et ce n'étaient plus qu'ombres rouges et formes noires. Debout au milieu d'un cercle d'auditeurs accroupis, un vieillard, le visage éclairé par un lampion fumeux, contait comme jadis Bitiou enchanta son cœur, se l'arracha de la poitrine, le mit dans un acacia et puis se changea lui-même en arbre. Il faisait de grands gestes, que son ombre répétait avec des déformations risibles, et l'auditoire émerveillé poussait des cris d'admiration. Dans les cabarets, les buveurs, couchés sur des divans, demandaient de la bière et du vin. Des danseuses, les yeux peints et le ventre nu, représentaient devant eux des scènes religieuses et lascives. A l'écart, des jeunes hommes jouaient aux dés ou à la mourre et des vieillards suivaient dans l'ombre les prostituées. Seule, au-dessus de ces formes agitées, s'élevait l'immuable colonne; la tête aux cornes de vache regardait dans l'ombre et au-dessus d'elle Paphnuce veillait, entre le ciel et la terre. Tout à coup la lune se lève sur le Nil, semblable à l'épaule nue d'une déesse. Les collines ruissellent de lumière et d'azur, et Paphnuce croit voir la chair de Thaïs étinceler dans les lueurs des eaux, parmi les saphirs de la nuit.

Les jours s'écoulaient et le saint demeurait sur son pilier. Quand vint la saison des pluies, l'eau du ciel, passant à travers les fentes de la toiture, inonda son corps; ses membres engourdis devinrent incapables de mouvement. Brûlée par le soleil, rougie par la rosée, sa peau se fendait; de larges ulcères dévoraient ses bras et ses jambes. Mais le désir de Thaïs le consumait intérieurement et il criait :

— Ce n'est pas assez, Dieu puissant! Encore des tentations! Encore des pensées immondes! Encore de monstrueux désirs! Seigneur, fais passer en moi toute la luxure des hommes, afin que je l'expie toute! S'il est faux que la chienne de Sparte ait pris sur elle les péchés du monde, comme je l'ai entendu dire à certain forgeron d'impostures, cette fable contient pourtant un sens caché dont je reconnais aujourd'hui l'exactitude. Car il est vrai que les immondices des peuples entrent dans l'âme des saints pour s'y perdre comme dans un puits. Aussi les âmes des justes sont-elles souillées de plus de fange que n'en contint jamais l'âme d'un pécheur. Et c'est pourquoi je te glorifie, mon Dieu, d'avoir fait de moi l'égout de l'univers.

Mais voici qu'une grande rumeur s'éleva un jour dans la ville sainte et monta jusqu'aux oreilles de l'ascète : un très grand personnage, un homme des plus illustres, le préfet de la flotte d'Alexandrie, Lucius Aurélius Cotta va venir, il vient, il approche !

La nouvelle était vraie. Le vieux Cotta, parti pour inspecter les canaux et la navigation du Nil, avait témoigné à plusieurs reprises le désir de voir le stylite et la nouvelle ville, à laquelle on donnait le nom de Stylopolis. Un matin les Stylopolitains virent le fleuve tout couvert de voiles. A bord d'une galère dorée et tendue de pourpre, Cotta apparut suivi de sa flottille. Il mit pied à terre et s'avança accompagné d'un secrétaire, qui portait ses tablettes, et d'Aristée, son médecin, avec qui il aimait à converser.

Une suite nombreuse marchait derrière lui et la berge se remplissait de laticlaves et de costumes militaires. A quelques pas de la colonne, il s'arrêta et se mit à examiner le stylite en s'épongeant le front avec un pan de sa toge. D'un esprit naturellement curieux, il avait beaucoup observé dans ses longs voyages. Il aimait à se souvenir et méditait d'écrire, après l'histoire punique, un livre des choses singulières qu'il avait vues. Il semblait s'intéresser beaucoup au spectacle qui s'offrait à lui.

— Voilà qui est étrange! disait-il tout suant et soufflant. Et, circonstance digne d'être rapportée, cet homme est mon hôte. Oui, ce moine vint souper chez moi l'an passé; après quoi il enleva une comédienne.

Et, se tournant vers son secrétaire :

— Note cela, enfant, sur mes tablettes; ainsi que les dimensions de la colonne, sans oublier la forme du chapiteau.

Puis, s'épongeant le front de nouveau :

— Des personnes dignes de foi m'ont assuré, que depuis un an qu'il est monté sur cette colonne, notre moine ne l'a pas quittée un moment. Aristée, cela est-il possible?

— Cela est possible à un fou et à un malade, répondit Aristée, et ce serait impossible à un homme sain de corps et d'esprit. Ne sais-tu pas, Lucius, que parfois les maladies de l'âme et du corps communiquent à ceux qui en sont affligés des pouvoirs que ne possèdent pas les hommes bien portants. Et, à vrai dire, il n'y a réellement ni bonne ni mauvaise santé. Il y a seulement des états différents des organes. A force d'étudier ce qu'on nomme les maladies, j'en suis arrivé à les considérer comme les formes nécessaires de la vie. Je prends plus de plaisir à les étudier qu'à les combattre. Il y en a qu'on ne peut observer sans admiration et qui cachent, sous un désordre apparent, des harmonies profondes, et c'est certes une belle chose qu'une fièvre quarte! Parfois certaines affections du corps déterminent une exaltation subite des facultés de l'esprit. Tu connais Créon. Enfant, il était bègue et stupide. Mais s'étant fendu le crâne en tombant du haut d'un escalier, il devint l'habile avocat que tu sais. Il faut que ce moine soit atteint dans quelque organe caché. D'ailleurs, son genre d'existence n'est pas aussi singulier qu'il te semble, Lucius. Rappelle-toi les gymnosophistes de l'Inde, qui peuvent garder une entière immobilité, non point seulement le long d'une année, mais durant vingt, trente et quarante ans.

— Par Jupiter! s'écria Cotta, voilà une grande aberration! Car l'homme est né pour agir et l'inertie est un crime impardonnable, puisqu'il est commis au préjudice de l'État. Je ne sais trop à quelle croyance rapporter une pratique si funeste. Il est vraisemblable qu'on doit la rattacher à certains cultes asiatiques. Du temps que j'étais gouverneur de Syrie, j'ai vu des phallus érigés sur les propylées de la ville d'Héra. Un homme y monte deux fois l'an et y demeure pendant sept jours. Le peuple est persuadé que cet homme, conversant avec les dieux, obtient de leur providence la prospérité de la Syrie. Cette coutume me parut dénuée de raison; toutefois, je ne fis rien pour la détruire. Car j'estime qu'un bon administrateur doit, non point abolir les usages des peuples, mais au contraire en assurer l'observation. Il n'appartient pas au gouvernement d'imposer des croyances; son devoir est de donner satisfaction à celles qui existent et qui, bonnes ou mauvaises, ont été déterminées par le génie des temps, des lieux et des races. S'il entreprend de les combattre, il se montre révolutionnaire par l'esprit, tyrannique dans ses actes, et il est justement détesté. D'ailleurs, comment s'élever au-dessus des superstitions du vulgaire, sinon en les comprenant et en les tolérant ? Aristée, je suis d'avis qu'on laisse ce néphélococcygien en paix dans les airs, exposé seulement aux offenses des oiseaux. Ce n'est point en le violentant que je prendrai avantage sur lui, mais bien en me rendant compte de ses pensées et de ses croyances.

Il souffla, toussa, posa la main sur l'épaule de son secrétaire :

— Enfant, note que dans certaines sectes chrétiennes, il est recommandable d'enlever des courtisanes et de vivre sur des colonnes. Tu peux ajouter que ces usages supposent le culte des divinités génésiques. Mais, à cet égard, nous devons l'interroger lui-même.

Puis, levant la tête et portant sa main sur ses yeux pour n'être point aveuglé par le soleil, il enfla sa voix :

— Holà! Paphnuce. S'il te souvient que tu fus mon hôte, réponds-moi. Que fais-tu là-haut? Pourquoi y es-tu monté et pourquoi y demeures-tu? Cette colonne a-t-elle dans ton esprit une signification phallique?

Paphnuce, considérant que Cotta était idolâtre, ne daigna pas lui faire de réponse. Mais Flavien, son disciple, s'approcha et dit :

— Illustrissime Seigneur, ce saint homme prend les péchés du monde et guérit les maladies.

— Par Jupiter! tu l'entends, Aristée, s'écria Cotta. Le néphélococcygien exerce, comme toi, la médecine! Que dis-tu d'un confrère si élevé?

Aristée secoua la tête :

— Il est possible qu'il guérisse mieux que je ne fais moi-même certaines maladies, telles, par exemple, que l'épilepsie, nommée vulgairement mal divin, bien que toutes les maladies soient également divines, car elles viennent toutes des dieux. Mais la cause de ce mal est en partie dans l'imagination et tu reconnaîtras, Lucius, que ce moine ainsi juché sur cette tête de déesse frappe l'imagination des malades plus fortement que je ne saurais le faire, courbé dans mon officine sur mes mortiers et sur mes fioles. Il y a des forces, Lucius, infiniment plus puissantes que la raison et que la science.

— Lesquelles? demanda Cotta.

— L'ignorance et la folie, répondit Aristée.

— J'ai rarement vu quelque chose de plus curieux que ce que je vois en ce moment, reprit Cotta, et je souhaite qu'un jour un écrivain habile raconte la fondation de Stylopolis. Mais les spectacles les plus rares ne doivent pas retenir plus longtemps qu'il ne convient un homme grave et laborieux. Allons inspecter les canaux. Adieu, bon Paphnuce! ou plutôt, au revoir! Si jamais, redescendu sur la terre, tu retournes à Alexandrie, ne manque pas, je t'en prie, de venir souper chez moi.

Ces paroles, entendues par les assistants, passèrent de bouche en bouche et, publiées par les fidèles, ajoutèrent une incomparable splendeur à la gloire de Paphnuce. De pieuses imaginations les ornèrent et les transformèrent, et l'on contait que le saint, du haut de sa stèle, avait converti le préfet de la flotte à la foi des apôtres et des pères de Nicée. Les croyants donnaient aux dernières paroles de Lucius Aurélius Cotta un sens figuré; dans leur bouche le souper auquel ce personnage avait convié l'ascète devenait une sainte communion, des agapes spirituelles, un banquet céleste. On enrichissait le récit de cette rencontre de circonstances merveilleuses, auxquelles ceux qui les imaginaient ajoutaient foi les premiers. On disait qu'au moment où Cotta, après une longue dispute, avait confessé la vérité, un ange était venu du ciel essuyer la sueur de son front. On ajoutait que le médecin et le secrétaire du préfet de la flotte l'avaient suivi dans sa conversion. Et, le miracle étant notoire, les diacres des principales églises de Lybie en rédigèrent les actes authentiques. On peut dire sans exagération que, dès lors, le monde entier fut saisi du désir de voir Paphnuce, et qu'en Occident comme en Orient, tous les chrétiens tournaient vers lui leurs regards éblouis. Les plus illustres cités d'Italie lui envoyèrent des ambassadeurs, et le césar de Rome, le divin

Constant, qui soutenait l'orthodoxie chrétienne, lui écrivit une lettre que des légats lui remirent avec un grand cérémonial. Or, une nuit, tandis que la ville éclose à ses pieds dormait dans la rosée, il entendit une voix qui disait :

— Paphnuce, tu es illustre par tes œuvres et puissant par la parole. Dieu t'a suscité pour sa gloire. Il t'a choisi pour opérer des miracles, guérir les malades, convertir les païens, éclairer les pécheurs, confondre les ariens et rétablir la paix de l'Église.

Paphnuce répondit :

— Que la volonté de Dieu soit faite !

La voix reprit :

— Lève-toi, Paphnuce, et va trouver dans son palais l'impie Constance, qui, loin d'imiter la sagesse de son frère Constant, favorise l'erreur d'Arius et de Marcus. Va ! Les portes d'airain s'ouvriront devant toi et tes sandales résonneront sur le pavé d'or des basiliques, devant le trône des Césars, et ta voix redoutable changera le cœur du fils de Constantin. Tu régneras sur l'Église pacifiée et puissante ; et, de même que l'âme conduit le corps, l'Église gouvernera l'empire. Tu seras placé au-dessus des sénateurs, des comtes et des patrices. Tu feras taire la faim du peuple et l'audace des barbares. Le vieux Cotta, sachant que tu es le premier dans le gouvernement, recherchera l'honneur de te laver les pieds. A ta mort, on portera ton cilice au patriarche d'Alexandrie, et le grand Athanase, blanchi dans la gloire, le baisera comme la relique d'un saint. Va!

Paphnuce répondit :

— Que la volonté de Dieu soit accomplie!

Et, faisant effort pour se mettre debout, il se préparait à descendre. Mais la voix, devinant sa pensée, lui dit :

— Surtout, ne descends point par cette échelle. Ce serait agir comme un homme ordinaire et méconnaître les dons qui sont en toi. Mesure mieux ta puissance, angélique Paphnuce. Un aussi grand saint que tu es doit voler dans les airs. Saute; les anges sont là pour te soutenir. Saute donc!

Paphnuce répondit :

— Que la volonté de Dieu règne sur la terre et dans les cieux!

Balançant ses longs bras étendus comme les

ailes dépenaillées d'un grand oiseau malade, il allait s'élancer, quand tout à coup un ricanement hideux résonna à son oreille. Épouvanté, il demanda :

— Qui donc rit ainsi?

— Ah! ah! glapit la voix, nous ne sommes encore qu'au début de notre amitié; tu feras un jour plus intime connaissance avec moi. Très cher, c'est moi qui t'ai fait monter ici et je dois te témoigner toute ma satisfaction de la docilité avec laquelle tu accomplis mes désirs. Paphnuce, je suis content de toi!

Paphnuce murmura d'une voix étranglée par la peur :

— Arrière, arrière! Je te reconnais : tu es celui qui porta Jésus sur le pinacle du temple et lui montra tous les royaumes de ce monde.

Il retomba consterné sur la pierre.

— Comment ne l'ai-je pas reconnu plus tôt? songeait-il. Plus misérable que ces aveugles, ces sourds, ces paralytiques qui espèrent en moi, j'ai perdu le sens des choses surnaturelles, et plus dépravé que les maniaques qui mangent de la terre et s'approchent des cadavres, je ne distingue plus les clameurs de l'enfer des voix du ciel. J'ai perdu jusqu'au discernement du nouveau-né qui pleure quand on le tire du sein de sa nourrice, du chien qui flaire la trace de son maître, de la plante qui se tourne vers le soleil. Je suis le jouet des diables. Ainsi, c'est Satan qui m'a conduit ici. Quand il me hissait sur ce faîte, la luxure et l'orgueil y montaient à mon côté. Ce n'est pas la grandeur de mes tentations qui me consterne : Antoine sur sa montagne en subit de pareilles ; et je veux bien que leurs épées transpercent ma chair sous le regard des anges. J'en suis arrivé même à chérir mes tortures, mais Dieu se tait et son silence m'étonne. Il me quitte, moi qui n'avais que lui ; il me laisse seul, dans l'horreur de son absence. Il me fuit. Je veux courir après lui. Cette pierre me brûle les pieds. Vite, partons, rattrapons Dieu.

Aussitôt il saisit l'échelle qui demeurait appuyée à la colonne, y posa les pieds et, ayant franchi un échelon, il se trouva face à face avec la tête de la bête : elle souriait étrangement. Il lui fut certain alors que ce qu'il avait pris pour le siège de son repos et de sa gloire n'était que l'instrument diabolique de son trouble et de sa damnation. Il descendit à la hâte tous les degrés et toucha le sol. Ses pieds avaient oublié la terre ; ils chancelaient. Mais sentant sur lui l'ombre de la colonne maudite, il les forçait à courir. Tout dormait. Il traversa sans être vu la grande place entourée de cabarets, d'hôtelleries et de caravansérails et se jeta dans une ruelle qui montait vers les collines libyques. Un chien, qui le poursuivait en aboyant, ne s'arrêta qu'aux premiers sables du désert. Et Paphnuce s'en alla par la contrée où il n'y a de route que la piste des bêtes sauvages. Laissant derrière lui les cabanes abandonnées par les faux monnayeurs, il poursuivit toute la nuit et tout le jour sa fuite désolée.

Enfin, près d'expirer de faim, de soif et de fatigue, et ne sachant pas encore si Dieu était loin, il découvrit une ville muette qui s'étendait à droite et à gauche et s'allait perdre dans la pourpre de l'horizon. Les demeures, largement isolées et pareilles les unes aux autres, ressemblaient à des pyramides coupées à la moitié de leur hauteur. C'étaient des tombeaux. Les portes en étaient brisées et l'on voyait dans l'ombre des salles luire les yeux des hyènes et des loups qui nourrissaient leurs petits, tandis que les morts gisaient sur le seuil, dépouillés par les brigands et rongés par les bêtes. Ayant traversé cette ville funèbre, Paphnuce tomba exténué devant un tombeau qui s'élevait à l'écart près d'une source couronnée de palmiers. Ce tombeau était très orné et, comme il n'avait plus de porte, on apercevait du dehors une chambre peinte dans laquelle nichaient des serpents.

— Voilà, soupira-t-il, ma demeure d'élection, le tabernacle de mon repentir et de ma pénitence.

Il s'y traîna, chassa du pied les reptiles et demeura prosterné sur la dalle pendant dix-huit heures, au bout desquelles il alla à la fontaine boire dans le creux de sa main. Puis il cueillit des dattes et quelques tiges de lotus dont il mangea les graines. Pensant que ce genre de vie était bon, il en fit la règle de son existence. Depuis le matin jusqu'au soir, il ne levait pas son front de dessus la pierre.

Or, un jour qu'il était ainsi prosterné, il entendit une voix qui disait :

— Regarde ces images afin de t'instruire.

Alors, levant la tête, il vit sur les parois de la chambre des peintures qui représentaient des scènes riantes et familières. C'était un ouvrage très ancien et d'une merveilleuse exactitude. On y remarquait des cuisiniers qui soufflaient le feu, en sorte que leurs joues étaient toutes gonflées; d'autres plumaient des oies ou faisaient cuire des quartiers de mouton dans des marmites. Plus loin un chasseur rapportait sur ses épaules une gazelle percée de flèches. Là, des paysans s'occupaient aux semailles, à la moisson, à la récolte. Ailleurs, des femmes dansaient au son des violes, des flûtes et de la harpe. Une jeune fille jouait du cinnor. La fleur du lotus brillait dans ses cheveux noirs, finement nattés. Sa robe transparente laissait voir les formes pures de son corps. Son sein, sa bouche étaient en fleur. Son bel œil regardait de face sur un visage tourné de profil. Et cette figure était exquise. Paphnuce l'ayant considérée baissa les yeux et répondit à la voix :

— Pourquoi m'ordonnes-tu de regarder ces images? Sans doute elles représentent les journées terrestres de l'idolâtre dont le corps repose ici sous mes pieds, au fond d'un puits, dans un cercueil de basalte noir. Elles rappellent la vie d'un mort et sont, malgré leurs vives couleurs, les ombres d'une ombre. La vie d'un mort! O vanité!...

— Il est mort, mais il a vécu, reprit la voix, et toi, tu mourras, et tu n'auras pas vécu.

A compter de ce jour, Paphnuce n'eut plus un moment de repos. La voix lui parlait sans cesse. La joueuse de cinnor, de son œil aux longues paupières, le regardait fixement. A son tour elle parla :

— Vois : je suis mystérieuse et belle. Aime-moi; épuise dans mes bras l'amour qui te tourmente. Que te sert de me craindre? Tu ne peux m'échapper : je suis la beauté de la femme. Où penses-tu me fuir, insensé? Tu retrouveras mon image dans l'éclat des fleurs et dans la grâce des palmiers, dans le vol des colombes, dans les bonds des gazelles, dans la fuite onduleuse des ruisseaux, dans les molles clartés de la lune, et, si tu fermes les yeux, tu la trouveras en toi-même. Il y a mille ans que l'homme qui dort ici, entouré de bandelettes dans un lit de pierre noire, m'a pressée sur son cœur. Il y a mille ans qu'il a reçu le dernier baiser de ma bouche, et son sommeil en est encore parfumé. Tu me connais bien, Paphnuce. Comment ne m'as-tu pas reconnue? Je suis une des innombrables incarnations de Thaïs. Tu es un moine instruit et très avancé dans la connaissance des choses. Tu as voyagé, et c'est en voyage qu'on apprend le plus. Souvent une journée qu'on passe dehors apporte plus de nouveautés que dix années pendant lesquelles on reste chez soi. Or, tu n'es pas sans avoir entendu dire que Thaïs a vécu jadis dans Sparte sous le nom d'Hélène. Elle eut dans Thèbes Hécatompyle une autre existence. Et Thaïs de Thèbes, c'était moi. Comment ne l'as-tu pas deviné? J'ai pris, vivante, ma large part des péchés du monde, et maintenant réduite ici à l'état d'ombre, je suis encore très capable de prendre tes péchés, moine bien-aimé. D'où vient ta surprise? Il était pourtant certain que partout où tu irais, tu retrouverais Thaïs.

Il se frappait le front contre la dalle et criait d'épouvante. Et chaque nuit la joueuse de cinnor quittait la muraille, s'approchait et parlait d'une voix claire, mêlée de souffles frais. Et, comme le saint homme résistait aux tentations qu'elle lui donnait, elle lui dit ceci :

— Aime-moi ; cède, ami. Tant que tu me résisteras, je te tourmenterai. Tu ne sais pas ce que c'est que la patience d'une morte. J'attendrai, s'il le faut, que tu sois mort. Étant magicienne, je saurai faire entrer dans ton corps sans vie un esprit qui l'animera de nouveau et qui ne me refusera pas ce que je t'aurai demandé en vain. Et songe, Paphnuce, à l'étrangeté de ta situation, quand ton âme bienheureuse verra du haut du ciel son propre corps se livrer au péché. Dieu, qui a promis de te rendre ce corps après le jugement dernier et la consommation des siècles, sera lui-même fort embarrassé ! Comment pourra-t-il installer dans la gloire céleste une forme humaine habitée par un diable et gardée par une sorcière? Tu n'as pas songé à cette difficulté. Dieu non plus, peut-être. Entre nous, il n'est pas bien subtil. La plus simple magicienne le trompe aisément, et s'il n'avait ni son tonnerre, ni les cataractes du ciel, les marmots de village lui tireraient la barbe. Certes il n'a pas autant d'esprit que le vieux serpent, son adversaire. Celui-là est un merveilleux artiste. Je ne suis si belle que parce qu'il a travaillé à ma parure. C'est lui qui m'a enseigné à natter mes cheveux et à me faire des doigts de rose et des ongles d'agate. Tu l'as trop méconnu. Quand tu es venu te loger dans ce tombeau, tu as chassé du pied les serpents qui y habitaient, sans t'inquiéter de savoir s'ils étaient de sa famille, et tu as écrasé leurs œufs. Je crains, mon pauvre ami, que tu ne te sois mis une méchante affaire sur les bras. On t'avait pourtant averti qu'il était musicien et amoureux. Qu'as-tu fait ? Te voilà brouillé avec la science et la beauté ; tu es tout à fait misérable, et Iaveh ne vient point à ton secours. Il n'est pas probable qu'il vienne. Étant aussi grand que tout, il ne peut pas bouger, faute d'espace, et si, par impossible, il faisait le moindre mouvement, toute la création serait bousculée. Mon bel ermite, donne-moi un baiser.

Paphnuce n'ignorait pas les prodiges opérés par les arts magiques. Il songeait dans sa grande inquiétude :

— Peut-être le mort enseveli à mes pieds

sait-il les paroles écrites dans ce livre mystérieux, qui demeure caché non loin d'ici au fond d'une tombe royale. Par la vertu de ces paroles les morts, reprenant la forme qu'ils avaient sur la terre, voient la lumière du soleil et le sourire des femmes.

Sa peur était que la joueuse de cinnor et le mort pussent se joindre, comme de leur vivant, et qu'il les vît s'unir. Parfois, il croyait entendre le souffle léger des baisers.

Tout lui était trouble et maintenant, en l'absence de Dieu, il craignait de penser autant que de sentir. Certain soir, comme il se tenait prosterné selon sa coutume, une voix inconnue lui dit :

— Paphnuce, il y a sur la terre plus de peuples que tu ne crois et, si je te montrais ce que j'ai vu, tu mourrais d'épouvante. Il y a des hommes qui portent au milieu du front un œil unique. Il y a des hommes qui n'ont qu'une jambe et marchent en sautant. Il y a des hommes qui changent de sexe, et de femelles deviennent mâles. Il y a des hommes arbres qui poussent des racines en terre. Et il y a des hommes sans tête, avec deux yeux, un nez, une bouche sur la poitrine. De bonne foi, crois-tu que Jésus-Christ soit mort pour le salut de ces hommes ?

Une autre fois il eut une vision. Il vit dans une grande lumière une large chaussée, des ruisseaux et des jardins. Sur la chaussée, Aristobule et Chéréas passaient au galop de leurs chevaux syriens et l'ardeur joyeuse de la course empourprait la joue des deux jeunes hommes. Sous un portique Callicrate déclamait des vers ; l'orgueil satisfait tremblait dans sa voix et brillait dans ses yeux. Dans le jardin, Zénothémis cueillait des pommes d'or et caressait un serpent aux ailes d'azur. Vêtu de blanc et coiffé d'une mitre étincelante, Hermodore méditait sous un perséa sacré, qui portait, en guise de fleurs, de petites têtes au pur profil, coiffées, comme les déesses des Égyptiens, de vautours, d'éperviers ou du disque brillant de la lune ; tandis qu'à l'écart au bord d'une fontaine, Nicias étudiait sur une sphère armillaire le mouvement harmonieux des astres.

Puis une femme voilée s'approcha du moine tenant à la main un rameau de myrte. Et elle lui dit :

— Regarde. Les uns cherchent la beauté éternelle et ils mettent l'infini dans leur vie éphémère. Les autres vivent sans grande pensée. Mais par cela seul qu'ils cèdent à la belle nature, ils sont heureux et beaux et seulement en se laissant vivre, ils rendent gloire à l'artiste souverain des choses; car l'homme est un bel hymne de Dieu. Ils pensent tous que le bonheur est innocent et que la joie est permise. Paphnuce, si pourtant ils avaient raison, quelle dupe tu serais!

Et la vision s'évanouit.

C'est ainsi que Paphnuce était tenté sans trêve dans son corps et dans son esprit. Satan ne lui laissait pas un moment de repos. La solitude de ce tombeau était plus peuplée qu'un carrefour de grande ville. Les démons y poussaient de grands éclats de rire, et des millions de larves, d'empuses, de lémures y accomplissaient le simulacre de tous les travaux de la vie. Le soir, quand il allait à la fontaine, des satyres mêlés à des faunesses dansaient autour de lui et l'entraînaient dans leurs rondes lascives. Les démons ne le craignaient plus. Ils l'accablaient de railleries, d'injures obscènes et de coups. Un jour un diable, qui n'était pas plus haut que le bras, lui vola la corde dont il se ceignait les reins.

Il songeait :

— Pensée, où m'as-tu conduit?

Et il résolut de travailler de ses mains afin de procurer à son esprit le repos dont il avait besoin. Près de la fontaine, des bananiers aux larges feuilles croissaient dans l'ombre des palmes. Il en coupa des tiges qu'il porta dans le tombeau. Là, il les broya sous une pierre et les réduisit en minces filaments, comme il l'avait vu faire aux cordiers. Car il se proposait de fabriquer une corde en place de celle qu'un diable lui avait volée. Les démons en éprouvèrent quelque contrariété : ils cessèrent leur vacarme et la joueuse de cinnor elle-même, renonçant à la magie, resta tranquille sur la paroi peinte. Paphnuce, tout en écrasant les tiges des bananiers, rassurait son courage et sa foi.

— Avec le secours du ciel, se disait-il, je dompterai la chair. Quant à l'âme, elle a gardé l'espérancc. En vain les diables, en vain cette damnée voudraient m'inspirer des doutes sur la nature de Dieu. Je leur répondrai par la bouche de l'apôtre Jean : « Au commencement était le Verbe et le Verbe était Dieu. » C'est ce que je crois fermement, et si ce que je crois est absurde, je le crois plus fermement encore ; et, pour mieux dire, il faut que ce soit absurde. Sans cela, je ne le croirais pas, je le saurais. Or, ce que l'on sait ne donne point la vie, et c'est la foi seule qui sauve.

Il exposait au soleil et à la rosée les fibres détachées, et chaque matin, il prenait soin de les retourner pour les empêcher de pourrir, et il se réjouissait de sentir renaître en lui la simplicité de l'enfance. Quand il eut tissé sa corde, il coupa des roseaux pour en faire des nattes et des corbeilles. La chambre sépulcrale ressemblait à l'atelier d'un vannier et Paphnuce y passait aisément du travail à la prière. Pourtant Dieu ne lui était pas favorable, car une nuit il fut réveillé par une voix qui le glaça d'horreur ; il avait deviné que c'était celle du mort.

La voix faisait entendre un appel rapide, un chuchotement léger :

— Hélène ! Hélène ! viens te baigner avec moi ! viens vite !

Une femme, dont la bouche effleurait l'oreille du moine, répondit :

— Ami, je ne puis me lever : un homme est couché sur moi.

Tout à coup, Paphnuce s'aperçut que sa joue reposait sur le sein d'une femme. Il reconnut la joueuse de cinnor qui, dégagée à demi, soulevait sa poitrine. Alors il étreignit désespérément cette fleur de chair tiède et parfumée et, consumé du désir de la damnation, il cria :

— Reste, reste, mon ciel!

Mais elle était déjà debout, sur le seuil. Elle riait, et les rayons de la lune argentaient son sourire.

— A quoi bon rester? disait-elle. L'ombre d'une ombre suffit à un amoureux doué d'une si vive imagination. D'ailleurs, tu as péché. Que te faut-il de plus? Adieu! mon amant m'appelle.

Paphnuce pleura dans la nuit et, quand vint l'aube, il exhala une prière plus douce qu'une plainte :

— Jésus, mon Jésus, pourquoi m'abandonnes-tu? Tu vois le danger où je suis. Viens me secourir, doux Sauveur. Puisque ton père ne m'aime plus, puisqu'il ne m'écoute pas, songe que je n'ai que toi. De lui à moi, rien n'est possible ; je ne puis le comprendre, et il ne peut me plaindre. Mais toi, tu es né d'une femme et c'est pourquoi j'espère en toi. Souviens-toi que tu as été homme. Je t'implore, non parce que tu es Dieu de Dieu, lumière de lumière, Dieu vrai du Dieu vrai, mais parce que tu vécus pauvre et faible, sur cette terre où je souffre, parce que Satan voulut tenter ta chair, parce que la sueur de l'agonie glaça ton front. C'est ton humanité que je prie, mon Jésus, mon frère Jésus !

Après qu'il eut prié ainsi, en se tordant les mains, un formidable éclat de rire ébranla les murs du tombeau, et la voix qui avait résonné sur le faîte de la colonne dit en ricanant :

— Voilà une oraison digne du bréviaire de Marcus l'hérétique. Paphnuce est arien ! Paphnuce est arien !

Comme frappé de la foudre le moine tomba inanimé.

. . . .

Quand il rouvrit les yeux, il vit autour de lui des religieux revêtus de cucules noires, qui lui versaient de l'eau sur les tempes et récitaient des exorcismes. Plusieurs se tenaient dehors, portant des palmes.

— Comme nous traversions le désert, dit l'un d'eux, nous avons entendu des cris dans ce tombeau et, étant entrés, nous t'avons vu gisant inerte sur la dalle. Sans doute des démons t'avaient terrassé et ils se sont enfuis à notre approche.

Paphnuce, soulevant la tête, demanda d'une voix faible :

— Mes frères, qui êtes-vous? Et pourquoi tenez-vous des palmes dans vos mains? N'est-point en vue de ma sépulture?

Il lui fut répondu :

— Frère, ne sais-tu pas que notre père Antoine, âgé de cent cinq ans, et averti de sa fin prochaine, descend du mont Colzin où il s'était retiré et vient bénir les innombrables enfants de son âme. Nous nous rendons avec des palmes au-devant de notre père spirituel. Mais toi, frère, comment ignores-tu un si grand événement? Est-il possible qu'un ange ne soit pas venu t'en avertir dans ce tombeau.

— Hélas! répondit Paphnuce, je ne mérite

pas une telle grâce, et les seuls hôtes de cette demeure sont des démons et des vampires. Priez pour moi! Je suis Paphnuce, abbé d'Antinoé, le plus misérable des serviteurs de Dieu.

Au nom de Paphnuce, tous, agitant leurs palmes, murmuraient des louanges. Celui qui avait déjà pris la parole s'écria avec admiration :

— Se peut-il que tu sois ce saint Paphnuce, célèbre par de tels travaux qu'on doute s'il n'égalera pas un jour le grand Antoine lui-même. Très vénérable, c'est toi qui as converti à Dieu la courtisane Thaïs et qui, élevé sur une haute colonne, as été ravi par les Séraphins. Ceux qui veillaient la nuit, au pied de la stèle, virent ta bienheureuse assomption. Les ailes des anges t'entouraient d'une blanche nuée, et ta droite étendue bénissait les demeures des hommes. Le lendemain, quand le peuple ne te vit plus, un long gémissement monta vers la stèle découronnée. Mais Flavien, ton disciple, publia le miracle et prit à ta place le gouvernement des moines. Seul un homme simple, du nom de Paul, voulut contredire le sentiment unanime. Il assurait qu'il t'avait vu en rêve emporté par des diables ; la foule voulail le lapider et c'est merveille qu'il ait pu échapper à la mort. Je suis Zozime, abbé de ces solitaires que tu vois prosternés à tes pieds. Comme eux, je m'agenouille devant toi, afin que tu bénisses le père avec les enfants. Puis, tu nous conteras les merveilles que Dieu a daigné accomplir par ton entremise.

— Loin de m'avoir favorisé comme tu crois, répondit Paphnuce, le Seigneur m'a éprouvé par d'effroyables tentations. Je n'ai point été ravi par les anges. Mais une muraille d'ombre s'est élevée à mes yeux et elle a marché devant moi. J'ai vécu dans un songe. Hors de Dieu tout est rêve. Quand je fis le voyage d'Alexandrie, j'entendis en peu d'heures beaucoup de discours, et je connus que l'armée de l'erreur était innombrable. Elle me poursuit et je suis environné d'épées.

Zozime répondit :

— Vénérable père, il faut considérer que les saints et spécialement les saints solitaires subissent de terribles épreuves. Si tu n'as pas été porté au ciel dans les bras des séraphins, il est certain que le Seigneur a accordé cette grâce à ton image, puisque Flavien, les moines et le peuple ont été témoins de ton ravissement.

Cependant Paphnuce résolut d'aller recevoir la bénédiction d'Antoine.

— Frère Zozime, dit-il, donne-moi une de ces palmes et allons au-devant de notre père.

— Allons! répliqua Zozime; l'ordre militaire convient aux moines qui sont les soldats par excellence. Toi et moi, étant abbés, nous marcherons devant. Et ceux-ci nous suivront en chantant des psaumes.

Ils se mirent en marche et Paphnuce disait :

— Dieu est l'unité, car il est la vérité qui est une. Le monde est divers parce qu'il est l'erreur. Il faut se détourner de tous les spectacles de la nature, même des plus innocents en apparence. Leur diversité qui les rend agréables est le signe qu'ils sont mauvais. C'est pourquoi je ne puis voir un bouquet de papyrus sur les eaux dormantes sans que mon âme se voile de mélancolie. Tout ce que perçoivent les sens est détestable. Le moindre grain de sable apporte un danger. Chaque chose nous tente. La femme n'est que le composé de toutes les tentations éparses dans l'air léger, sur la terre fleurie, dans les eaux claires. Heureux celui dont l'âme est un vase scellé! Heureux qui sut se rendre muet, aveugle et sourd et qui ne comprend rien du monde afin de comprendre Dieu!

Zozime, ayant médité ces paroles, y répondit de la sorte :

— Père vénérable, il convient que je t'avoue mes péchés, puisque tu m'as montré ton âme. Ainsi nous nous confesserons l'un à l'autre, selon l'usage apostolique. Avant que d'être moine, j'ai mené dans le siècle une vie abominable. A Madaura, ville célèbre par ses courtisanes, je recherchais toutes sortes d'amours. Chaque nuit, je soupais en compagnie de jeunes débauchés et de joueuses de flûte, et je ramenais chez moi celle qui m'avait plu davantage. Un saint tel que toi n'imaginerait jamais jusqu'où m'emportait la fureur de mes désirs. Il me suffira de te dire qu'elle n'épargnait ni les matrones ni les religieuses et se répandait en adultères et en sacrilèges. J'excitais par le vin l'ardeur de mes sens, et l'on me citait avec raison pour le plus grand buveur de Madaura. Pourtant j'étais chrétien et je gardais, dans mes égarements, ma foi en Jésus crucifié. Ayant dévoré mes biens en débauches, je ressentais déjà les premières atteintes de la pauvreté, quand je vis le plus robuste de mes compagnons de plaisir dépérir rapidement aux atteintes d'un mal terrible. Ses genoux ne le soutenaient plus; ses mains inquiètes refusaient de le servir; ses yeux obscurcis se fermaient. Il ne tirait plus de sa gorge que d'affreux mugissements. Son esprit, plus pesant que son corps, sommeillait. Car pour le châtier d'avoir vécu comme les bêtes, Dieu l'avait changé en bête. La perte de mes biens m'avait déjà inspiré des réflexions salutaires; mais l'exemple de mon ami fut plus précieux encore; il fit une telle impression sur mon cœur que je quittai le monde et me retirai dans le désert. J'y goûte depuis vingt ans une paix que rien n'a troublée. J'exerce avec mes moines les professions de tisserand, d'architecte, de charpentier et même de scribe, quoique, à vrai dire, j'aie peu de goût pour l'écriture, ayant toujours à la pensée préféré l'action. Mes jours sont pleins de joie et mes nuits sont sans rêves, et j'estime que la grâce du Seigneur est en moi parce qu'au milieu des péchés les plus horribles j'ai toujours gardé l'espérance.

En entendant ces paroles, Paphnuce leva les yeux au ciel et murmura :

— Seigneur, cet homme souillé de tant de crimes, cet adultère, ce sacrilège, tu le regardes avec douceur, et tu te détournes de moi, qui ai toujours observé tes commandements ! Que ta justice est obscure, ô mon Dieu ! et que tes voies sont impénétrables !

Zozime étendit les bras :

— Regarde, père vénérable : on dirait des deux côtés de l'horizon, des files noires de fourmis émigrantes. Ce sont nos frères qui vont, comme nous, au-devant d'Antoine.

Quand ils parvinrent au lieu du rendez-vous ils découvrirent un spectacle magnifique. L'armée des religieux s'étendait sur trois rangs en un demi-cercle immense. Au premier rang se tenaient les anciens du désert, la crosse à la main, et leurs barbes pendaient jusqu'à terre. Les moines, gouvernés par les abbés Ephrem et Sérapion, ainsi que tous les cénobites du Nil, formaient la seconde ligne. Derrière eux apparaissaient les ascètes venus des rochers lointains. Les uns portaient sur leurs corps noircis et desséchés d'informes lambeaux, d'autres n'avaient pour vêtements que des roseaux liés en botte avec des viornes. Plusieurs étaient nus, mais Dieu les avait couverts d'un poil épais comme la toison des brebis. Ils tenaient tous à la main une palme verte; l'on eût dit un arc-en-ciel d'émeraude et ils étaient comparables aux chœurs des élus, aux murailles vivantes de la cité de Dieu.

Il régnait dans l'assemblée un ordre si parfait que Paphnuce trouva sans peine les moines de son obéissance. Il se plaça près d'eux, après avoir pris soin de cacher son visage sous sa cucule, pour demeurer inconnu et ne point troubler leur pieuse attente. Tout à coup s'éleva une immense clameur :

— Le saint! criait-on de toutes parts. Le saint! voilà le grand saint! voilà celui contre lequel l'enfer n'a point prévalu, le bien-aimé de Dieu! Notre père Antoine!

Puis un grand silence se fit et tous les fronts se prosternèrent dans le sable.

Du faîte d'une colline, dans l'immensité déserte, Antoine s'avançait soutenu par ses disciplines bien-aimés, Macaire et Amathas. Il marchait à pas lents, mais sa taille était droite encore et l'on sentait en lui les restes d'une force surhumaine. Sa barbe blanche s'étalait sur sa large poitrine, son crâne poli jetait des rayons de lumière comme le front de Moïse. Ses yeux avaient le regard de l'aigle ; le sourire de l'enfant brillait sur ses joues rondes. Il leva, pour bénir son peuple, ses bras fatigués par un siècle de travaux inouïs, et sa voix jeta ses derniers éclats dans cette parole d'amour :

— Que tes pavillons sont beaux, ô Jacob ! Que tes tentes sont aimables, ô Israël !

Aussitôt, d'un bout à l'autre de la muraille animée, retentit comme un grondement harmonieux de tonnerre le psaume : *Heureux l'homme qui craint le Seigneur.*

Cependant, accompagné de Macaire et d'Amathas, Antoine parcourait les rangs des anciens, des anachorètes et des cénobites. Ce voyant, qui avait vu le ciel et l'enfer, ce solitaire qui, du creux d'un rocher, avait gouverné l'Église chrétienne, ce saint qui avait soutenu la foi des martyrs aux jours de l'épreuve suprême, ce docteur dont l'éloquence avait foudroyé l'hérésie, parlait tendrement à chacun de ses fils et leur faisait des adieux familiers, à la veille de sa mort bienheureuse, que Dieu, qui l'aimait, lui avait enfin promise.

Il disait aux abbés Ephrem et Sérapion :

— Vous commandez de nombreuses armées et vous êtes tous deux d'illustres stratèges. Aussi serez-vous revêtus dans le ciel d'une armure d'or et l'archange Michel vous donnera le titre de Kiliarques de ses milices.

Apercevant le vieillard Palémon, il l'embrassa et dit :

— Voici le plus doux et le meilleur de mes enfants. Son âme répand un parfum aussi suave que la fleur des fèves qu'il sème chaque année.

A l'abbé Zozime il parla de la sorte :

— Tu n'as pas désespéré de la bonté divine, c'est pourquoi la paix du Seigneur est en toi. Le lis de tes vertus a fleuri sur le fumier de ta corruption.

Il tenait à tous des propos d'une infaillible sagesse. Aux anciens il disait :

— L'apôtre a vu autour du trône de Dieu vingt-quatre vieillards assis, vêtus de robes blanches et la tête couronnée.

Aux jeunes hommes :

— Soyez joyeux; laissez la tristesse aux heureux de ce monde.

C'est ainsi que, parcourant le front de son armée filiale, il semait les exhortations. Paphnuce, le voyant approcher, tomba à genoux, déchiré entre la crainte et l'espérance.

— Mon père, mon père, cria-t-il dans son angoisse, mon père! viens à mon secours, car je péris. J'ai donné à Dieu l'âme de Thaïs, j'ai habité le faîte d'une colonne et la chambre d'un sépulcre. Mon front, sans cesse prosterné, est devenu calleux comme le genou d'un chameau. Et pourtant Dieu s'est retiré de moi. Bénis-moi, mon père, et je serai sauvé; secoue l'hysope et je serai lavé et je brillerai comme la neige.

Antoine ne répondait point. Il promenait sur ceux d'Antinoé ce regard dont nul ne pouvait soutenir l'éclat. Ayant arrêté sa vue sur Paul, qu'on nommait le Simple, il le considéra longtemps puis il lui fit signe d'approcher. Comme ils s'étonnaient tous que le saint s'adressât à un homme privé de sens, Antoine dit :

— Dieu a accordé à celui-ci plus de grâces qu'à aucun de vous. Lève les yeux, mon fils Paul, et dis ce que tu vois dans le ciel.

Paul le Simple leva les yeux ; son visage resplendit et sa langue se délia.

— Je vois dans le ciel, dit-il un lit orné de tentures de pourpre et d'or. Autour, trois vierges font une garde vigilante afin qu'aucune âme n'en approche, sinon l'élue à qui le lit est destiné.

Croyant que ce lit était le symbole de sa glorification, Paphnuce rendait déjà grâces à Dieu. Mais Antoine lui fit signe de se taire et d'écouter le Simple qui murmurait dans l'extase :

— Les trois vierges me parlent ; elles me disent : « Une sainte est près de quitter la terre ; Thaïs d'Alexandrie va mourir. Et nous avons dressé le lit de sa gloire, car nous sommes ses vertus : la Foi, la Crainte et l'Amour. »

Antoine demanda :

— Doux enfant, que vois-tu encore ?

Paul promena vainement ses regards du zénith au nadir, du couchant au levant, quand tout à coup ses yeux rencontrèrent l'abbé d'Antinoé. Une sainte épouvante pâlit son visage, et ses prunelles reflétèrent des flammes invisibles.

— Je vois, murmura-t-il, trois démons qui, pleins de joie, s'apprêtent à saisir cet homme. Ils sont à la semblance d'une tour, d'une femme et d'un mage. Tous trois portent leur nom marqué au fer rouge ; le premier sur le front, le second sur le ventre, le troisième sur la poitrine, et ces noms sont : Orgueil, Luxure et Doute. J'ai vu.

Ayant ainsi parlé, Paul, les yeux hagards, la bouche pendante, rentra dans sa simplicité.

Et comme les moines d'Antinoé regardaient Antoine avec inquiétude, le saint prononça ces seuls mots :

— Dieu a fait connaître son jugement équitable. Nous devons l'adorer et nous taire.

Il passa. Il allait bénissant. Le soleil, descendu à l'horizon, l'enveloppait d'une gloire, et son ombre, démesurément grandie par une faveur du ciel, se déroulait derrière lui comme un tapis sans fin, en signe du long souvenir que ce grand saint devait laisser parmi les hommes.

Debout mais foudroyé, Paphnuce ne voyait, n'entendait plus rien. Cette parole unique emplissait ses oreilles : « Thaïs va mourir ! » Une telle pensée ne lui était jamais venue. Vingt ans, il avait contemplé une tête de momie et voici que l'idée que la mort éteindrait les yeux de Thaïs l'étonnait désespérément.

« Thaïs va mourir ! » Parole incompréhensible ! « Thaïs va mourir ! » En ces trois mots, quel sens terrible et nouveau ! « Thaïs va mourir ! » Alors pourquoi le soleil, les fleurs, les ruisseaux et toute la création ? « Thaïs va mourir ! » A quoi bon l'univers ? Soudain il bondit. « La revoir, la voir encore ! » Il se mit à courir. Il ne savait où il était, ni où il allait, mais l'instinct le conduisait avec une entière certitude ; il marchait droit au Nil. Un essaim de voiles couvrait les hautes eaux du fleuve. Il sauta dans une embarcation montée par des Nubiens et là, couché à l'avant, les yeux dévorant l'espace, il cria, de douleur et de rage :

— Fou, fou que j'étais de n'avoir pas possédé Thaïs quand il en était temps encore ! Fou d'avoir cru qu'il y avait au monde autre chose qu'elle ! O démence ! J'ai songé à Dieu, au salut de mon âme, à la vie éternelle, comme si tout cela comptait pour quelque chose quand on a vu Thaïs. Comment n'ai-je pas senti que l'éternité bienheureuse était dans un seul des baisers de cette femme, que sans elle la vie n'a pas de sens et n'est qu'un mauvais rêve? O stupide! tu l'as vue et tu as désiré les biens de l'autre monde. O lâche! tu l'as vue et tu as craint Dieu. Dieu! le Ciel! qu'est-ce que cela? et qu'ont-ils à t'offrir qui vaille la moindre parcelle de ce qu'elle t'eût donné? O lamentable insensé, qui cherchais la bonté divine ailleurs que sur les lèvres de Thaïs! Quelle main était sur tes yeux? Maudit soit Celui qui t'aveuglait alors! Tu pouvais acheter au prix de la damnation un moment de son amour et tu ne l'as pas fait! Elle t'ouvrait ses bras, pétris de la chair et du parfum des fleurs, et tu ne t'es pas abîmé dans les enchantements indicibles de son sein dévoilé! Tu as écouté la voix jalouse qui te disait: « Abstiens-toi. » Dupe, dupe, triste dupe! O regrets! O remords! O désespoir! N'avoir pas la joie d'emporter en enfer la mémoire de l'heure inoubliable et de crier à Dieu: « Brûle ma chair, dessèche tout le sang de mes fais éclater mes os, tu ne m'ôteras pas le souvenir qui me parfume et me rafraîchit pour les siècles des siècles!... Thaïs va mourir! Dieu ridicule, si tu savais comme je me moque de ton enfer! Thaïs va mourir et elle ne sera jamais à moi, jamais, jamais! »

Et tandis que la barque suivait le courant rapide, il restait des journées entières couché sur le ventre, répétant :

— Jamais! jamais! jamais!

Puis, à l'idée qu'elle s'était donnée et que ce n'était pas à lui, qu'elle avait répandu sur le monde des flots d'amour et qu'il n'y avait pas trempé ses lèvres, il se dressait debout, farouche, et hurlait de douleur. Il se déchirait la poitrine avec ses ongles et mordait la chair de ses bras. Il songeait :

— Si je pouvais tuer tous ceux qu'elle a aimés.

L'idée de ces meurtres l'emplissait d'une fureur délicieuse. Il méditait d'égorger Nicias lentement, à loisir, en le regardant jusqu'au fond des yeux. Puis sa fureur tombait tout à coup. Il pleurait, il sanglotait. Il devenait faible et doux. Une tendresse inconnue amollissait son âme. Il lui prenait envie de se jeter au cou du compagnon de son enfance et de lui dire : « Nicias, je t'aime, puisque tu l'as aimée. Parle-moi d'elle ! Dis-moi ce qu'elle te disait. » Et sans cesse le fer de cette parole lui perçait le cœur : « Thaïs va mourir ! »

— Clartés du jour ! ombres argentées de la nuit, astre, cieux, arbres aux cimes tremblantes, bêtes sauvages, animaux familiers, âmes anxieuses des hommes, n'entendez-vous pas : « Thaïs va mourir ! » Lumières, souffles et parfums, disparaissez. Effacez-vous, formes et pensées de l'univers ! « Thaïs va mourir !... » Elle était la beauté du monde et tout ce qui l'approchait, s'ornait des reflets de sa grâce. Ce vieillard et ces sages assis près d'elle, au banquet d'Alexandrie, qu'ils étaient aimables ! que leur parole était harmonieuse ! L'essaim des riantes apparences voltigeait sur leurs lèvres et la volupté parfumait toutes leurs pensées. Et parce que le souffle de Thaïs était sur eux tout ce qu'ils disaient était amour, beauté, vérité. L'impiété charmante prêtait sa grâce à leurs discours. Ils exprimaient aisément la splendeur humaine. Hélas ! et tout cela n'est plus qu'un songe. Thaïs va mourir ! Oh : comme naturellement je mourrai de sa mort ! Mais peux-tu seulement mourir, embryon desséché, fœtus macéré dans le fiel et les pleurs arides ? Avorton misérable, penses-tu goûter la mort, toi qui n'as pas connu la vie ? Pourvu que Dieu existe et qu'il me damne ! Je l'espère, je le veux. Dieu que je hais, entends-moi. Plonge-moi dans la damnation. Pour t'y obliger je te crache à la face. Il faut bien que je trouve un enfer éternel, afin d'y exhaler l'éternité de rage qui est en moi.

. . . .

. . . .

Dès l'aube, Albine reçut l'abbé d'Antinoé au seuil des Cellules.

— Tu es le bien venu dans nos tabernacles de paix, vénérable père, car sans doute tu viens bénir la sainte que tu nous avais donnée. Tu sais que Dieu, dans sa clémence, l'appelle à lui ; et comment ne saurais-tu pas une nouvelle que les anges ont portée de désert en désert ? Il est vrai, Thaïs touche à sa fin bienheureuse. Ses travaux sont accomplis, et je dois t'instruire en peu de mots de la conduite qu'elle a tenue parmi nous. Après ton départ, comme elle était enfermée dans la cellule marquée de ton sceau, je lui envoyai avec sa nourriture une flûte semblable à celles dont jouent aux festins les filles de sa profession. Ce que je faisais était pour qu'elle ne tombât pas dans la mélancolie et pour qu'elle n'eût pas moins de grâce et de talent devant Dieu qu'elle n'en avait montré au regard des hommes. Je n'avais pas agi sans prudence ; car Thaïs célébrait tout le jour sur la flûte les louanges du Seigneur et les vierges qu'attiraient les sons de cette flûte invisible disaient : « Nous entendons le rossignol des bocages célestes, le cygne mourant de Jésus crucifié. » C'est ainsi que Thaïs accomplissait sa pénitence, quand, après soixante jours, la porte que tu avais scellée s'ouvrit d'elle-même et le sceau d'argile se rompit sans qu'aucune main humaine l'eût touché. A ce signe je reconnus que l'épreuve que tu avais imposée devait cesser et que Dieu pardonnait les péchés de la joueuse de flûte. Dès lors, elle partagea la vie de mes filles, travaillant et priant avec elles. Elle les édifiait par la modestie de ses gestes et de ses paroles et elle semblait parmi elles la statue de la pudeur. Parfois elle était triste ; mais ces nuages passaient. Quand je vis qu'elle était attachée à Dieu par la foi, l'espérance et l'amour, je ne craignis pas d'employer son art et même sa beauté à l'édification de ses sœurs. Je l'invitais à représenter devant nous les actions des femmes fortes et des vierges sages de l'Écriture. Elle imitait Esther, Débora, Judith, Marie, sœur de Lazare, et Marie, mère de Jésus. Je sais, vénérable père, que ton austérité s'alarme à l'idée de ces spectacles. Mais tu aurais été touché toi-même, si tu l'avais vue, dans ces pieuses scènes, répandre des pleurs véritables et tendre au ciel ses bras comme des palmes. Je gouverne depuis longtemps des femmes et j'ai pour règle de ne point contrarier leur nature. Toutes les graines ne donnent pas les mêmes fleurs. Toutes les âmes ne se sanctifient pas de la même manière. Il faut considérer aussi que Thaïs s'est donnée à Dieu quand elle était belle encore, et un tel sacrifice, s'il n'est point unique, est du moins très rare... Cette beauté, son vêtement naturel, ne l'a pas encore quittée après trois mois de la fièvre dont elle meurt. Comme, pendant sa maladie, elle demande sans cesse à voir le ciel, je la fais porter chaque matin dans la cour, près du puits, sous l'antique figuier, à l'ombre duquel les abbesses de ce couvent ont coutume de tenir leurs assemblées ; tu l'y trouveras, père vénérable ; mais hâte-toi, car Dieu l'appelle et ce soir un suaire couvrira ce visage que Dieu fit pour le scandale et pour l'édification du monde.

Paphnuce suivit Albine dans la cour inondée de lumière matinale. Le long des toits de brique des colombes formaient une file de perles. Sur un lit, à l'ombre du figuier, Thaïs reposait toute blanche, les bras en croix. Debout à ses côtés, des femmes voilées récitaient les prières de l'agonie.

— *Aie pitié de moi, mon Dieu, selon ta grande mansuétude et efface mon iniquité selon la multitude de tes miséricordes!*

Il l'appela :

— Thaïs !

Elle souleva les paupières et tourna du côte de la voix les globes blancs de ses yeux.

Albine fit signe aux femmes voilées de s'éloigner de quelques pas.

— Thaïs ! répéta le moine.

Elle souleva la tête ; un souffle léger sortit de ses lèvres blanches :

— C'est toi, mon père ?... Te souvient-il de l'eau de la fontaine et des dattes que nous avons cueillies ?... Ce jour-là, mon père, je suis née à l'amour... à la vie.

Elle se tut et laissa retomber sa tête.

La mort était sur elle et la sueur de l'agonie couronnait son front. Rompant le silence auguste, une tourterelle éleva sa voix plaintive. Puis les sanglots du moine se mêlèrent à la psalmodie des vierges.

— *Lave-moi de mes souillures et purifie-moi de mes péchés. Car je connais mon injustice et mon crime se lève sans cesse contre moi.*

Tout à coup Thaïs se dressa sur son lit. Ses yeux de violette s'ouvrirent tout grands ; et, les regards envolés, les bras tendus vers les collines lointaines, elle dit d'une voix limpide et fraîche :

— Les voilà, les roses de l'éternel matin !

Ses yeux brillaient ; une légère ardeur colorait ses tempes. Elle revivait plus suave et plus belle que jamais. Paphnuce, agenouillé, l'enlaça de ses bras noirs.

— Ne meurs pas, criait-il d'une voix étrange qu'il ne reconnaissait pas lui-même. Je t'aime, ne meurs pas! Écoute, ma Thaïs. Je t'ai trompée, je n'étais qu'un fou misérable. Dieu, le ciel, tout cela n'est rien. Il n'y a de vrai que la vie de la terre et l'amour des êtres. Je t'aime! ne meurs pas; ce serait impossible; tu es trop précieuse. Viens, viens avec moi. Fuyons; je t'emporterai bien loin dans mes bras. Viens, aimons-nous. Entends-moi donc, ô ma bien-aimée, et dis: « Je vivrai, je veux vivre. » Thaïs, Thaïs, lève-toi!

Elle ne l'entendait pas. Ses prunelles nageaient dans l'infini.

Elle murmura:

— Le ciel s'ouvre. Je vois les anges, les prophètes et les saints... le bon Théodore est parmi eux, les mains pleines de fleurs; il me sourit et m'appelle... Deux séraphins viennent à moi. Ils approchent... qu'ils sont beaux!... Je vois Dieu.

Elle poussa un soupir d'allégresse et sa tête retomba inerte sur l'oreiller. Thaïs était morte. Paphnuce, dans une étreinte désespérée, la dévorait de désir, de rage et d'amour.

Albine lui cria :

— Va-t'en, maudit !

Et elle posa doucement ses doigts sur les paupières de la morte. Paphnuce recula chancelant ; les yeux brûlés de flammes et sentant la terre s'ouvrir sous ses pas.

Les vierges entonnaient le cantique de Zacharie :

— *Béni soit le Seigneur, le dieu d'Israël.*

Brusquement la voix s'arrêta dans leur gorge Elles avaient vu la face du moine et elles fuyaient d'épouvante en criant :

— Un vampire ! un vampire !

Il était devenu si hideux qu'en passant la main sur son visage, il sentit sa laideur.

FIN

TABLE